QUE S

CH00801131

La phénoménologie

JEAN-FRANÇOIS LYOTARD

Quatorzième édition

99ᵉ mille

ISBN 2 13 054736 2

Dépôt légal — 1re édition : 1954
Réimpression de la 14e édition : 2007, janvier

© Presses Universitaires de France, 1954
6, avenue Reille, 75014 Paris

INTRODUCTION

I. — « C'est en nous-mêmes que nous trouverons l'unité de la phénoménologie et son vrai sens », écrit Merleau-Ponty, et Jeanson, d'autre part, souligne « l'absurdité qu'il y aurait à réclamer une définition objective de la phénoménologie ». Et il est vrai que le sens de ce « mouvement », de ce « style » n'est assignable que si on l'investit de l'intérieur, reprenant sur soi l'interrogation qu'il porte. On en dirait autant du marxisme ou du cartésianisme. Cela signifie en somme que la philosophie doit être non pas seulement saisie comme événement et « du dehors », mais reprise comme pensée, c'est-à-dire comme problème, genèse, va-et-vient. C'est en quoi consiste l'objectivité véritable, celle que voulait Husserl ; mais le témoignage de la phénoménologie n'est pas en faveur d'un subjectivisme simpliste, comme celui que suggère Jeanson, par lequel l'historien en décrivant telle pensée ne ferait en dernière analyse qu'y glisser la sienne.

II. — La phénoménologie de Husserl a germé dans la crise du subjectivisme et de l'irrationalisme (fin XIXe - début XXe siècle). Il nous faudra situer cette pensée dans son histoire, comme elle s'y est située elle-même. Cette histoire est la nôtre, aussi bien. C'est *contre* le psychologisme, *contre* le pragmatisme, contre une étape de la pensée occidentale que la phénoménologie a réfléchi, s'est accotée, a combattu. Elle a été d'abord et demeure une méditation sur la connaissance, une connaissance de la connaissance ; et sa célèbre « mise entre parenthèses » consiste d'abord à congédier une culture, une histoire, à reprendre tout savoir en remontant à un non-savoir radical. Mais ce refus d'hériter, ce « dogmatisme », comme Husserl le nomme curieusement, s'enracine dans un héritage. Ainsi, l'histoire enveloppe la phénoménologie, et Husserl l'a toujours su d'un bout à l'autre de son œuvre, mais il y a une intention, une prétention a-historique dans la phénoménologie, et c'est pourquoi nous aborderons la phénoménologie par son histoire et la quitterons sur son débat avec l'histoire.

III. — La phénoménologie est comparable au cartésianisme, et il est certain qu'on peut par ce biais l'approcher de façon adéquate : elle est une méditation logique visant à déborder les incertitudes mêmes de la logique vers et par un langage ou logos excluant l'incertitude. L'espoir cartésien d'une *mathesis universalis* renaît chez Husserl. Elle est bien alors philosophie, et même philosophie postkantienne parce qu'elle cherche à éviter la systématisation métaphysique ; elle est une philosophie du XXᵉ siècle, songeant à restituer à ce siècle sa mission scientifique en fondant à nouveaux frais les conditions de sa science. Elle sait que la connaissance s'incarne en science concrète ou « empirique », elle veut savoir où prend appui cette connaissance scientifique. C'est là le point de départ, la racine dont elle s'enquiert, les données immédiates de la connaissance. Kant recherchait déjà les conditions *a priori* de la connaissance : mais cet *a priori* préjuge déjà de la solution. La phénoménologie ne veut même pas de cette hypostase. De là son style interrogatif, son radicalisme, son inachèvement essentiel.

IV. — Pourquoi « phénoménologie » ? Le terme signifie étude des « phénomènes », c'est-à-dire de *cela* qui apparaît à la conscience, de *cela* qui est « donné ». Il s'agit d'explorer ce donné, « la chose même » que l'on perçoit, à laquelle on pense, de laquelle on parle, en évitant de forger des hypothèses, aussi bien sur le rapport qui lie le phénomène avec l'être *de qui* il est phénomène, que sur le rapport qui l'unit avec le Je *pour qui* il est phénomène. Il ne faut pas sortir du morceau de cire pour faire une philosophie de la substance étendue, ni pour faire une philosophie de l'espace, forme *a priori* de la sensibilité, il faut rester au morceau de cire lui-même, sans présupposé, le *décrire* seulement tel qu'il se donne. Ainsi se dessine au sein de la méditation phénoménologique un moment *critique,* un « désaveu de la science » (Merleau-Ponty) qui consiste dans le refus de passer à l'explication : car expliquer le rouge de cet abat-jour, c'est précisément le délaisser en tant qu'il est *ce* rouge étalé sur cet abat-jour, sous l'orbe duquel je réfléchis au rouge ; c'est le poser comme vibration de fréquence, d'intensité données, c'est mettre à sa place « quelque chose », l'objet pour le physicien qui n'est plus du tout « la chose même », pour moi. Il y a toujours un préréflexif, un irréfléchi, un antéprédicatif, sur quoi prend appui la réflexion, la science, et qu'elle escamote toujours quand elle veut rendre raison d'elle-même.

On comprend alors les deux visages de la phénoménologie : une puissante confiance dans la science impulse la volonté d'en asseoir solidement les accotements, afin de stabiliser tout son édifice et d'interdire une nouvelle crise. Mais pour accomplir cette opération, il faut sortir de la science même et plonger dans ce dans quoi elle plonge « innocemment ». C'est par volonté rationaliste que Husserl s'engage dans l'antérationnel. Mais une inflexion insensible peut faire de cet anté-rationnel un anti-rationnel, et de la phénoménologie le bastion de l'irrationalisme. De Husserl à Heidegger il y a bien héritage, mais il y a aussi mutation. Notre exposé ne cherchera pas à effacer cette équivoque, qui est inscrite dans l'histoire même de l'école phénoménologique.

V. — C'est surtout au regard des sciences humaines que la réflexion phénoménologique nous retiendra. Ce n'est pas par hasard. A la recherche du donné immédiat antérieur à toute thématisation scientifique, et l'autorisant, la phénoménologie dévoile le style fondamental, ou l'essence, de la conscience de ce donné, qui est l'intentionalité*. A la place de la traditionnelle conscience « digérant », ingérant au moins, le monde extérieur (comme chez Condillac par exemple), elle révèle une conscience qui « s'éclate vers » (Sartre), une conscience en somme qui n'est rien, si ce n'est rapport au monde. Dès lors les méthodes objectives, expérimentales, bref calquées sur la physique, que psychologie, sociologie, etc., utilisent, ne sont-elles pas radicalement inadéquates ? Ne faudrait-il pas au moins commencer par déployer, expliciter les divers modes selon lesquels la conscience est « tissée avec le monde » ? Par exemple avant de saisir le social comme objet, ce qui constitue une décision de caractère métaphysique, il est sans doute nécessaire d'expliciter le sens même du fait pour la conscience d' « être-en-société », et par conséquent d'interroger naïvement ce fait. Ainsi parviendra-t-on à liquider les contradictions inévitables issues de la position même du problème sociologique : la phéno-

* Nous avons pris le parti d'écrire *intentionalité* comme *rationalité* plutôt qu'*intentionnalité*.

ménologie tente, non pas de remplacer les sciences de l'homme, mais de mettre au point leur problématique, sélectionnant ainsi leurs résultats et réorientant leur recherche. Nous tenterons de refaire ce chemin.

VI. — Faut-il souligner l'importance de la phénoménologie ? Elle est une étape de la pensée « européenne », et elle s'est comprise elle-même comme telle, ainsi que le montre Husserl dans la *Krisis*. Nous aurons à fixer sa signification historique encore que celle-ci ne soit pas assignable une fois pour toutes parce qu'il y a présentement *des* phénoménologues et parce que son sens est en cours, inachevé en tant qu'historique. Il y a en effet des accentuations différentes de Heidegger à Fink, de Merleau-Ponty à Ricœur, de Pos ou Thevenaz à Levinas, qui justifient la prudence que nous soulignions en débutant. Mais il reste un « style » phénoménologique commun, comme l'a montré Jean Wahl justement ; et ne pouvant ici, sauf à l'occasion, localiser les divergences fines ou graves qui séparent ces philosophes, c'est ce style surtout que nous chercherons à cerner, après avoir rendu à Husserl ce qui lui revient : avoir commencé.

PREMIÈRE PARTIE

HUSSERL[1]

I. — L'éidétique

1. **Le scepticisme psychologiste.** — Le psychologisme contre lequel Husserl lutte identifie sujet de la connaissance et sujet psychologique. Il affirme que le jugement « ce mur est jaune » n'est pas une proposition indépendante de moi, qui l'exprime et perçois ce mur. On dira que « mur », « jaune » sont des concepts définissables en extension et en compréhension indé-

1. Edmund Husserl, né en 1859 à Prosznitz (Moravie), d'une famille israélite. Études scientifiques à Berlin (Weierstrass) et Vienne (Brentano). Doctorat en 1883 : *Contribution à la théorie du calcul des variations*, thèse de mathématiques. Ses premières publications concernent la logique des mathématiques et la logistique : *Philosophie de l'arithmétique*, 1re Partie seule publiée (1891). *Les recherches logiques*, I, 1900 ; II, 1901. En 1886, Husserl s'est converti à la religion évangélique ; en 1887, il s'est marié et exerce une charge de cours à l'Université de Halle. A partir de 1901, il enseigne à Göttingen dans une atmosphère fervente où se forment les premiers disciples (*Idée de la phénoménologie*, 1907). C'est alors qu'il publie l'article célèbre de Logos, *La philosophie comme science rigoureuse* (1911), et le premier tome, seul publié de son vivant, des *Idées directrices pour une phénoménologie pure et une philosophie phénoménologique* (1913) *(Ideen I)*. En 1916, il obtient la chaire de Fribourg-i.-B. Martin Heidegger, son disciple, édite ses *Prolégomènes à la phénoménologie de la conscience interne du temps* (1928). Puis successivement Husserl publie *Logique formelle et transcendantale* (1929), les *Méditations cartésiennes* (en français, 1931), *La crise des sciences européennes et la phénoménologie transcendantale* (*Krisis*, 1936). *Expérience et jugement* est édité par son élève Landgrebe (1939).
Malgré l'hostilité dont le régime nazi l'entoure, Husserl ne s'expatrie pas. Il meurt à Fribourg en 1938. Le R.P. Van Breda, son élève à Fribourg, craignant l'antisémitisme hitlérien, transporte clandestinement à Louvain la bibliothèque et les inédits de Husserl. Les archives Edmund Husserl à Louvain dépouillent 30 000 pages d'inédits, souvent sténographiées, et poursuivent la publication des œuvres complètes, *Husserliana* (Nijhoff, La Haye).

pendamment de toute pensée concrète. Faut-il alors leur accorder une existence en soi, transcendante au sujet et au réel ? Les *contradictions* du réalisme des idées (platonicien par exemple) sont inévitables et insolubles. Mais au moins si l'on admet le principe de *contradiction* comme critère de la validité d'une thèse (ici platonicienne), n'en affirme-t-on pas l'indépendance par rapport à la pensée concrète ? On passe ainsi du problème de la *matière* logique, le concept, à celui de son organisation, les *principes* : mais le psychologisme ne désarme pas sur ce nouveau terrain. Quand le logicien pose que deux propositions contraires ne peuvent être vraies simultanément, il exprime seulement qu'il m'est impossible en fait, au niveau du vécu de conscience, de croire que le mur est jaune *et* qu'il est vert. La validité des grands principes se fonde dans mon organisation psychique, et s'ils sont indémontrables, c'est précisément parce qu'ils sont innés. D'où il s'ensuit évidemment qu'il n'y a pas enfin de *vérité* indépendante des démarches psychologiques qui y conduisent. Comment pourrais-je savoir si mon savoir est adéquat à son objet, comme l'exige la conception classique du vrai ? Quel est le signe de cette adéquation ? Nécessairement un certain « état de conscience » par lequel toute question sur l'objet dont il y a savoir se trouve être superflue : la certitude subjective.

Ainsi le concept était un vécu, le principe une condition contingente du mécanisme psychologique, la vérité une croyance couronnée de succès. Le savoir scientifique étant lui-même relatif à notre organisation, aucune loi ne pouvait être dite absolument vraie, elle était une hypothèse en voie de vérification sans fin, l'efficacité des opérations (pragma) qu'elle rend possibles définissait sa validité. La science tisserait donc un réseau de symboles commodes (énergie, force, etc.) dont elle habille le monde ; son seul objectif serait alors d'établir entre ces symboles des relations constantes permettant l'action. Il n'était pas question à proprement parler d'une *connaissance du monde*. On ne pouvait pas davantage affirmer un progrès de cette connaissance au cours de l'histoire de la science : l'histoire est un devenir sans signification assignable, une accumulation d'essais et d'erreurs. Il faut donc renoncer à poser à la science des questions auxquelles il n'y a pas de réponse. Enfin, la mathématique est un vaste système formel de symboles établis conventionnellement et d'axiomes opératoires sans contenu limitatif : tout y est possible à notre fantaisie (Poincaré). La vérité mathématique se trouve elle-même définie selon le référentiel d'axiomes choisis au départ. Toutes ces thèses convergent dans le scepticisme.

2. **Les essences.** — Husserl montre *(Recherches logiques, Ideen I)* que ce scepticisme appuyé sur l'empirisme se supprime en se contredisant. En effet le postulat de base pour tout empirisme consiste dans l'affirmation que l'expérience est seule source de vérité pour toute connaissance : mais cette affirmation doit être elle-même mise à l'épreuve de l'expérience. Or l'expérience, ne fournissant jamais que du contingent et du singulier, ne peut offrir à la science le principe universel et nécessaire d'une affirmation semblable. L'empirisme ne peut être compris par l'empirisme. D'autre part, il est impossible de confondre par exemple le flux d'états subjectifs éprouvés par le mathématicien pendant qu'il raisonne et le raisonnement : les opérations du raisonnement sont définissables indépendamment de ce flux ; on peut seulement dire que le mathématicien raisonne juste quand par ce flux subjectif il accède à l'objectivité du raisonnement vrai. Mais cette objectivité idéale est définie par des conditions logiques, et la vérité du raisonnement (sa non-contradiction) s'*impose* au mathématicien comme au logicien. Le raisonnement vrai est universellement valable, le raisonnement faux est entaché de subjectivité, donc intransmissible. De même un triangle rectangle possède une objectivité idéale, en ce sens qu'il est le sujet d'un ensemble de prédicats, inaliénables sous peine de *perdre* le triangle rectangle lui-même. Pour éviter l'équivoque du mot « idée », nous dirons qu'il possède une *essence,* constituée par tous les prédicats dont la suppression imaginaire entraînerait la suppression du triangle en personne. Par exemple tout triangle est par essence convexe.

Mais si l'on demeure au niveau des « objets » mathématiques, l'argument formaliste qui fait de ces objets des conceptions conventionnelles demeure puissant ; on montrera par exemple que les prétendus caractères essentiels de l'objet mathématique sont en réalité déductibles à partir d'axiomes. Aussi Husserl élargit-il, dès le tome II des *Recherches logiques,* sa théorie de l'essence pour la porter sur le terrain favori de l'empirisme, la perception. Quand nous disons « le mur est jaune », impliquons-nous des essences dans ce jugement ? Et par exemple la couleur peut-elle être saisie indépendamment de la surface sur laquelle elle est « étalée » ? Non, puisqu'une couleur séparée de l'espace où elle se donne serait impensable. Car si, en faisant « varier » par l'imagination l'objet couleur, nous lui retirons son prédicat « étendue », nous supprimons la possibilité de l'objet couleur lui-même, nous arrivons à une *conscience d'impossibilité.* Celle-ci révèle l'essence. Il y a donc dans les jugements des limites à notre fantaisie, qui nous sont fixées par les choses mêmes dont il y a jugement, et que la *Phantasia* elle-même décèle grâce au procédé de la *variation.*

Le procédé de la variation imaginaire nous donne l'essence elle-même, l'être de l'objet. L'objet *(Objekt)* est un « quelque chose quelconque », par exemple le nombre deux, la note *do,* le cercle, une proposition quelconque, un datum sensible *(Ideen I).* On le fait « varier » arbitrairement, obéissant seulement à l'évidence actuelle et vécue du je peux ou du je ne peux pas. L'essence ou eidos de l'objet est constitué par l'invariant qui demeure identique à travers les variations. Ainsi si l'on opère la variation sur l'objet chose sensible, on obtient comme être même de la chose : ensemble spatio-temporel, pourvu de qualités secondes, posé comme substance et unité causale. L'essence s'éprouve donc dans une intuition vécue ; la « vision des essences » *(Wesenschau)* n'a aucun caractère métaphysique, la théorie des essences ne s'encadre pas dans un réalisme platonicien où l'existence de l'essence serait affirmée, l'essence est seulement ce en quoi la « chose même » m'est révélée dans une *donation originaire.*

Il s'agissait bien comme le voulait l'empirisme de revenir « aux choses mêmes » *(zu den Sachen selbst),* de supprimer toute option métaphysique. Mais l'empirisme était encore métaphysique quand il confondait cette exigence du retour aux choses mêmes avec l'exigence de fonder toute connaissance dans l'expérience, tenant pour acquis sans examen que l'expérience *seule* donne les choses mêmes : il y a un préjugé empiriste, pragmatiste. En réalité, l'ultime source de droit pour toute affirmation rationnelle est dans le « voir » *(Sehen)* en général, c'est-à-dire dans la conscience donatrice originaire *(Ideen).* Nous n'avons rien présupposé, dit Husserl, « pas même le concept de philosophie ». Et lorsque le psychologisme veut identifier l'eidos, obtenu par la variation, au concept dont la genèse est psychologique et empirique, nous lui répondons seulement qu'il en dit alors plus qu'il n'en sait, s'il veut s'en tenir à l'intuition originaire dont il prétend faire sa loi : le nombre deux est peut-être, en tant que concept, construit à partir de l'expérience, mais en tant que j'obtiens de ce nombre l'eidos par variation, je dis que cet eidos est « antérieur » à toute *théorie* de la construction du nombre, et la preuve en est que toute explication génétique s'appuie toujours sur le savoir actuel du « quelque chose » que la genèse doit expliquer. L'interprétation empiriste de la formation du nombre deux *présuppose* la compréhension originaire de ce nombre. Cette compréhension est donc une condition pour toute science empirique, l'eidos qu'elle nous livre est seulement un pur possible, mais il y a une antériorité de ce possible sur le réel dont la science empirique s'occupe.

3. La science éidétique.
— Il s'avère dès lors possible de rendre à cette science sa validité. Les incertitudes de la science, sensibles déjà pour les sciences humaines, mais atteignant pour finir celles-là qui en étaient comme le modèle, physique et mathématique, ont leur source dans un aveugle souci expérimental. Avant de faire de la physique, il faut étudier ce qu'est le fait physique, son essence ; de même pour les autres disciplines. De la définition de l'eidos saisi par l'intuition originaire, on pourra tirer les conclusions méthodologiques qui orienteront la recherche empirique. Il est déjà clair par exemple qu'aucune psychologie empirique sérieuse ne peut être entreprise si l'essence du psychique n'a pas été saisie, de manière à éviter toute confusion avec l'essence du physique. En d'autres termes il faut définir les lois éidétiques qui guident toute connaissance empirique : cette étude constitue la science éidétique en général ou encore ontologie de la nature (c'est-à-dire étude de l'esse ou essence) ; cette ontologie a été saisie dans sa vérité comme prolégomène à la science empirique correspondante, lors du développement de la géométrie et du rôle qu'elle a joué dans l'assainissement de la connaissance physique. Toute chose naturelle a en effet pour essence d'être spatiale et la géométrie est l'éidétique de l'espace ; mais elle n'embrasse pas toute l'essence de la chose, de là l'essor de nouvelles disciplines. On distinguera donc hiérarchiquement, et en partant de l'empirique : 1 / Des essences matérielles (celle de vêtement, par exemple) étudiées par des ontologies ou sciences éidétiques matérielles ; 2 / Des essences régionales (objet culturel) coiffant les précédentes, et explicitées par des éidétiques régionales ; 3 / L'essence d'objet en général, selon la définition précédemment donnée, dont une ontologie formelle fait l'étude[1]. Cette dernière essence qui coiffe toutes les essences régionales est une « pure forme éidétique », et la « région formelle » qu'elle détermine n'est pas une région coordonnée aux régions matérielles, mais « la forme vide de région en général ». Cette ontologie formelle est identifiable à la logique pure ; elle est la *mathesis universalis,* ambition de Descartes et de Leibniz. Il est clair que cette ontologie doit définir non seulement la notion de théorie en général, mais toutes les formes de théories possibles (système de la multiplicité).

---

1. La hiérarchie est évidemment en réseau, non unilinéaire.

Tel est le premier grand mouvement de la démarche husserlienne. Elle prend appui sur le fait, défini comme « être là individuel et contingent » ; la contingence du fait renvoie à l'essence nécessaire puisque penser la contingence, c'est penser qu'il appartient à l'essence de ce fait de pouvoir être autre qu'il est. La facticité implique donc une nécessité. Cette démarche reprend apparemment le platonisme, et sa « naïveté ». Mais elle contient aussi le cartésianisme, parce qu'elle s'efforce de faire de la connaissance des essences non pas la fin de toute connaissance, mais l'introduction nécessaire à la connaissance du monde matériel. En ce sens la vérité de l'éidétique est dans l'empirique, et c'est pourquoi cette « réduction éidétique », par laquelle nous somme invités à passer de la facticité contingente de l'objet à son contenu intelligible, peut être dite encore « mondaine ». A chaque science empirique correspond une science eidétique concernant l'eidos régional des objets étudiés par elle, et la phénoménologie elle-même est, à cette étape de la pensée husserlienne, définie comme science éidétique de la région conscience ; en d'autres termes, dans toutes les sciences empiriques de l'homme *(Geiteswissenschaften),* se trouve impliquée nécessairement une essence de la conscience, et c'est cette implication que Husserl tente d'articuler dans *Ideen II.*

II. — Le transcendantal

1. **La problématique du sujet.** — La phénoménologie prenait donc le sens d'une propédeutique aux « sciences de l'esprit ». Mais dès le second tome des *Recherches logiques,* se dessine un rebond qui va nous faire entrer dans la philosophie proprement dite. La « problématique de la corrélation », c'est-à-dire l'ensemble des problèmes posés par le rapport de la pensée à son objet, une fois approfondie laisse émerger la question qui en forme le noyau : la subjectivité. C'est probablement ici que l'influence exercée sur Husserl par Brentano (dont il avait été élève) se fait sentir ; la remarque clé de la psychologie brentanienne était que la conscience est toujours *conscience de quelque chose,* en d'autres termes que la conscience est intentionalité. Si l'on transpose ce thème au niveau de l'éidétique, cela signifie que tout objet en

général, eidos lui-même, chose, concept, etc., est objet *pour une* conscience, de telle sorte qu'il faut décrire à présent la manière dont je connais l'objet et dont l'objet est pour moi. Est-ce à dire que nous revenons au psychologisme ? On a pu le croire. Il n'en est rien.

Le souci de fonder radicalement le savoir avait mené Husserl à l'éidétique formelle, c'est-à-dire à une sorte de logicisme. Mais à partir du système des essences, deux orientations sont ouvertes : ou bien développer la science logique en *mathesis universalis,* c'est-à-dire constituer *du côté de l'objet* une science des sciences ; ou bien au contraire passer à l'analyse du sens *pour le sujet* des concepts logiques utilisés par cette science, du sens des relations qu'elle établit entre ces concepts, du sens des vérités qu'elle veut stabiliser, c'est-à-dire en bref mettre en question la connaissance elle-même, non pas pour en construire une « théorie », mais pour fonder plus radicalement le savoir éidétique radical. En prenant conscience que déjà dans la simple donation de l'objet, il y avait implicitement une corrélation du moi et de l'objet qui devait renvoyer à l'analyse du moi, Husserl choisit la seconde orientation. La radicalité de l'eidos présuppose une radicalité plus fondamentale. Pourquoi ? Parce que l'objet logique lui-même peut m'être donné confusément ou obscurément, parce que je puis avoir, de telles lois, de telles relations logiques « une simple représentation », vide, formelle, opératoire. Dans la sixième *Recherche logique,* Husserl montre que l'intuition logique (ou catégoriale) n'échappe à cette compréhension simplement symbolique que quand elle est « fondée » sur l'intuition sensible ; s'agit-il d'un retour à la thèse kantienne selon laquelle le concept sans intuition est vide ? Les néokantiens l'ont cru.

Ainsi, dans le second tome des *Recherches logiques,* nous relevons deux mouvements entrelacés dont l'un, introduisant l'analyse du vécu comme fondement de toute connaissance, paraît nous ramener au psychologisme ; dont l'autre, en profilant la compréhension évidente de l'objet idéal sur le fond de l'intuition de la chose sensible, paraît replier la phénoménologie sur les positions du kantisme. Par ailleurs, entre les deux voies définies plus haut, Husserl s'engage dans la seconde, et du « réalisme » des essences paraît glisser à l'idéalisme du sujet : « L'analyse de la valeur des principes logiques conduit à des recherches centrées sur le sujet » (*Logique formelle et logique transcendantale,* 203). Il semble donc qu'à ce stade nous ayons à choisir entre un idéalisme centré sur le moi empirique et un idéalisme transcendantal à la manière kantienne : mais ni l'un ni l'autre ne pouvait satisfaire Husserl, le premier parce qu'il rend incompréhensibles des propositions vraies, réduites par le psychologisme à des états de conscience non privilégiés, et parce qu'il verse au même flux de cette conscience, tout ensemble, ce qui vaut et ce qui ne vaut pas, détruisant ainsi la science et se détruisant lui-même en tant que théorie universelle ; le second parce qu'il explique seulement les conditions *a priori* de la connaissance pure (mathématique ou physique pures), mais non les conditions réelles de la connaissance concrète : la « subjectivité » transcendantale kantienne est simplement l'ensemble des conditions réglant la connaissance de *tout objet possible en général,* le moi concret est renvoyé au niveau du sensible comme objet (et c'est pourquoi Husserl accuse Kant de psychologisme), et la question de savoir comment l'expérience réelle entre effectivement dans le cadre apriorique de toute connaissance possible pour permettre l'élaboration des lois scientifiques particulières reste sans réponse, au même titre que dans la *Critique de la raison pratique,* l'intégration de l'expérience morale réelle dans les conditions *a priori* de la moralité pure demeure impossible de l'aveu même de Kant. Husserl conserve donc le principe d'une vérité fondée dans le sujet de la connaissance, mais rejette la dislocation de celui-ci et du sujet concret ; c'est à cette étape qu'il rencontre Descartes.

2. **La réduction.** — C'est dans l'*Idée de phénoménologie* (1907) que l'inspiration cartésienne apparaît ; elle surplombera les *Ideen I* et encore, mais à un moindre titre, les *Méditations cartésiennes.*

Le sujet cartésien obtenu par les opérations du doute et du *cogito* est un sujet concret, un vécu, non un cadre abstrait. Simultanément, ce sujet est un absolu puisque tel est le sens même des deux premières méditations : il se suffit à lui-même, il n'est besoin de rien pour fonder son être. La perception que ce sujet a de lui-même « est et reste, tant qu'elle dure, un absolu, un "celui-ci", quelque chose qui est, en soi, ce qu'il est, quelque chose à quoi je peux mesurer, comme a une mesure dernière, ce que "être" et "être donné" peut et doit signifier » *(Id. phén.).* L'intuition du vécu par lui-même constitue le modèle de toute évidence originaire. Et dans les *Ideen I,* Husserl va refaire le mouvement cartésien à partir du monde perçu ou monde naturel. Il n'y a pas à s'étonner de ce « glissement » du plan logique au plan naturel : l'un et l'autre sont « mondains », et l'objet en général est aussi bien chose que concept. Il n'y a pas de glissement à proprement parler, il y a une accentuation, et il est indispensable de bien comprendre que la réduction porte en général sur *toute transcendance* (c'est-à-dire sur tout en soi).

L'attitude naturelle contient une thèse ou position implicite par laquelle je *trouve là* le monde et l'accepte comme existant. « Les choses corporelles sont simplement là pour moi avec une distribution spatiale quelconque ; elles sont "présentes" au sens littéral ou figuré, que je leur accorde ou non une attention particulière... Les êtres animés également, tels les hommes, sont là pour moi de façon immédiate... Pour moi les objets réels sont là, porteurs de détermination, plus ou moins connus, faisant corps avec les objets perçus effectivement, sans être eux-mêmes perçus, ni même présents de façon intuitive... Mais l'ensemble de ces objets co-présents à l'intuition de façon claire ou obscure, distingue ou confuse, et couvrant constamment le champ actuel de la perception, n'épuise même pas le monde qui pour moi est "là" de façon consciente à chaque instant où je suis vigilant. Au contraire, il s'étend sans limite selon un ordre fixe d'êtres, il est pour une part traversé, pour une part environné par un *horizon obscurément conscient de réalité indéterminée...* Cet horizon brumeux incapable à jamais d'une totale détermination est nécessairement là... Le monde... a son horizon temporel infini dans les deux sens, son passé et son futur, connus et inconnus, immédiatement vivants et privés de vie. [Enfin ce monde n'est pas seulement] monde de choses, mais selon la même immédiateté monde de valeurs, monde de biens, monde pratique » (*Ideen,* 48-50). Mais ce monde contient aussi un environnement idéal : si je m'occupe présentement d'arithmétique, ce monde arithmétique est là pour moi, différent de la réalité naturelle en ce qu'il n'est là pour moi qu'autant que je prends l'attitude de l'arithméticien, tandis que la réalité naturelle est toujours déjà là. Enfin, le monde naturel est aussi le monde de l'intersubjectivité.

La thèse naturelle, contenue implicitement dans l'attitude naturelle, est ce par quoi « je découvre [la réalité] comme existant et l'accueille, comme elle se

18

donne à moi, également comme existant » (*Ideen,* 52-53). Bien entendu, je puis *mettre en doute* les données du monde naturel, récuser les « informations » que j'en reçois, distinguer par exemple ce qui est « réel » et ce qui est « illusion », etc. : mais ce doute « ne change rien à la position générale de l'attitude naturelle » (*ibid.*), il nous fait accéder à une saisie de ce monde comme existant plus « adéquate », plus « rigoureuse » que celle que nous donne la perception immédiate, il fonde le dépassement du percevoir par le savoir scientifique, mais dans ce savoir la thèse intrinsèque à l'attitude naturelle se conserve, puisqu'il n'y a pas de science qui ne pose l'existence du monde réel dont elle est science.

Cette allusion aux deux premières méditations de Descartes exprime qu'à peine le radicalisme cartésien retrouvé, Husserl en révèle l'insuffisance : le doute cartésien portant sur la chose naturelle (morceau de cire) demeure par lui-même une attitude mondaine, il n'est qu'une *modification* de cette attitude, il ne répond donc pas à l'exigence profonde de radicalité. Une preuve en sera donnée dans les *Méditations cartésiennes,* où Husserl dénonce le préjugé géométrique par lequel Descartes assimile le *cogito* à un axiome du savoir en général, alors que le *cogito* doit être beaucoup plus, puisqu'il est le fondement des axiomes mêmes ; ce préjugé géométrique révèle l'insuffisance du doute comme procédé de radicalisation. Au doute il faut donc opposer une attitude par laquelle *je ne prends pas position par rapport au monde comme existant,* que cette position soit affirmation naturelle d'existence, ou mise en doute cartésienne, etc. Bien entendu en fait, moi, en tant que sujet empirique et concret, je continue à participer à la position naturelle du monde, « cette thèse est encore un vécu », mais je n'en fais *aucun usage.* Elle est suspendue, mise hors jeu, hors circuit, entre parenthèses ;

et par cette « réduction » (épochè) le monde environnant n'est plus simplement existant, mais « phénomène d'existence » *(Méd. cart.)*.

3. **Le moi pur.** — Quel est le résultat de cette opération réductrice ? En tant que le moi concret est entrelacé avec le monde naturel, il est clair qu'il est lui-même réduit ; autrement dit, je dois m'abstenir de toute thèse au sujet du moi comme existant ; mais il est non moins clair qu'il y a un Je, qui justement s'abstient, et qui est le Je même de la réduction. Ce Je est appelé *moi pur,* et l'épochè est la méthode universelle par laquelle je me saisis comme moi pur. Ce moi pur a-t-il un contenu ? Non, en ce sens qu'il n'est pas un contenant ; oui, en ce sens que ce moi est visée de quelque chose ; mais ne faut-il pas faire porter la réduction sur ce contenu ? Avant de répondre à cette question, il convient de constater qu'à première vue la réduction dissocie pleinement, d'une part le monde comme totalité des choses, et d'autre part la conscience sujet de la réduction. Procédons à l'analyse eidétique de la région chose et de la région conscience.

La chose naturelle, par exemple cet arbre là-bas, m'est donnée dans et par un flot incessant d'esquisses, de silhouettes *(Abschattungen)*. Ces silhouettes, a travers lesquelles cette chose se profile, sont des vécus se rapportant à la chose par leur sens d'appréhension. La chose est comme un « même » qui m'est donné à travers des modifications incessantes et ce qui fait qu'elle est chose pour moi (c'est-à-dire en soi pour moi), c'est précisément l'inadéquation nécessaire de ma saisie de cette chose. Mais cette idée d'inadéquation est équivoque : en tant que la chose se profile à travers des silhouettes successives, je n'accède à la chose qu'unilatéralement, par l'une de ses faces, mais simultanément me sont « données » les autres faces de la chose, non pas « en personne », mais suggérées par la face donnée sensoriellement ; en d'autres termes, la chose telle qu'elle m'est donnée par la perception est toujours ouverte sur des horizons d'indétermination, « elle indique à l'avance un divers de perceptions dont les phases, en passant continuellement l'une dans l'autre, se fondent dans l'unité d'une perception » (*Ideen,* 80). Ainsi la chose ne peut jamais m'être donnée comme un *absolu,* il y a donc « une imperfection indéfinie qui tient à l'essence insuppressible de la corrélation entre chose et perception de chose » *(ibid.).* Dans le cours de la perception, les esquisses successives sont retouchées, et une silhouette nouvelle de la chose peut venir corriger une silhouette précédente, il n'y a pas cependant contradiction, puisque le flux de toutes ces silhouettes se fond dans l'unité d'une perception, mais il y a que la chose émerge à travers des retouches sans fin.

Au contraire, le vécu lui-même est donné à lui-même dans une « perception immanente ». La conscience de soi donne le vécu en lui-même, c'est-à-dire pris comme un absolu. Ceci ne signifie pas que le vécu est toujours adéquatement saisi dans sa pleine unité : en tant qu'il est un flux, il est toujours déjà loin, déjà passé quand je veux le saisir ; c'est pourquoi c'est comme vécu *retenu,* comme rétention que je peux seulement le saisir, et pourquoi « le flux total de mon vécu est une unité de vécu qu'il est par principe impossible de saisir par la perception en nous laissant complètement "couler" avec lui » (*Ideen,* 82). La difficulté particulière, qui est en même temps une problématique essentielle de la conscience, se prolonge dans l'étude de la conscience du temps intérieur[1], mais bien

---

1. Cf. plus loin, p. 95 et s.

qu'il n'y ait pas adéquation immédiate de la conscience à elle-même, il demeure que *tout vécu porte en lui-même la possibilité de principe de son existence.* « Le flux du vécu, qui est mon flux, celui du sujet pensant, peut être aussi largement qu'on veut non appréhendé, inconnu quant aux parties déjà écoulées et restant à venir, il suffit que je porte le regard sur la vie qui s'écoule dans sa présence réelle et que dans cet acte je me saisisse moi-même comme le sujet pur de cette vie, pour que je puisse dire sans restriction et nécessairement : *je suis,* cette vie est, je vis : *cogito* » (*Ideen,* 85).

Par conséquent, le premier résultat de la réduction était de nous obliger à dissocier nettement le mondain ou naturel en général et un sujet non mondain ; mais en poursuivant la description, nous parvenons à hiérarchiser en quelque sorte ces deux régions de l'être en général : nous concluons en effet à la *contingence* de la chose (prise comme modèle du mondain) et à la *nécessité* du moi pur, résidu de la réduction. La chose et le monde en général ne sont pas apodictiques *(Méd. cart.),* ils n'excluent pas la possibilité que l'on doute d'eux, donc ils n'excluent pas la possibilité de leur non-existence ; tout l'ensemble des expériences (au sens kantien) peut se révéler simple apparence et n'être qu'un rêve cohérent. En ce sens la réduction *est déjà par elle-même,* en tant qu'expression de la liberté du moi pur, la révélation du caractère contingent du monde. Au contraire, le sujet de la réduction ou moi pur est évident à lui-même d'une évidence apodictique, ce qui signifie que le flux de vécus qui le constitue en tant qu'il s'apparaît à lui-même ne peut pas être mis en question ni dans son essence, ni dans son existence. Cette apodicticité n'implique pas une adéquation ; la certitude de l'être du moi ne garantit pas la certitude de la connaissance du moi ; mais elle suffit à opposer la perception transcendante de la chose et du monde en général et la perception immanente : « La position du monde qui est une position "contingente" s'oppose à la position de mon moi pur et de mon vécu égologique, qui est une position "nécessaire" et absolument indubitable. Toute chose donnée en "personne" peut aussi ne pas être, aucun vécu donné "en personne" ne peut ne pas être » (*Ideen*, 86). Cette loi est une loi d'essence.

Nous nous demandions : la réduction phénoménologique doit-elle porter sur le contenu du moi pur ? Nous comprenons à présent que cette question suppose un contresens radical, celui-là même que Husserl impute à Descartes : il consiste à admettre le sujet comme chose *(res cogitans)*. Le moi pur n'est pas une chose, *puisqu'il ne se donne pas à lui-même comme la chose lui est donnée*. Il ne « cohabite pas pacifiquement » avec le monde, et il n'a pas non plus besoin du monde pour être ; car imaginons que le monde soit anéanti (on reconnaîtra au passage la technique des variations imaginaires fixant l'essence), « l'être de la conscience serait certes nécessairement modifié..., mais il ne serait pas atteint dans sa propre existence ». En effet, un monde anéanti, cela signifierait seulement pour la conscience visant ce monde la disparition dans le flux de ses vécus de certaines connexions empiriques ordonnées, disparition entraînant celle de certaines connexions rationnelles réglées sur les premières. Mais cet anéantissement n'implique pas l'exclusion d'autres vécus et d'autres connexions entre les vécus. En d'autres termes « nul être réel n'est nécessaire pour l'être de la conscience même. L'être immanent est donc indubitablement un être absolu, en ce que *nulla "res" indiget ad existendum*. D'autre part, le monde des *res* transcendantes se réfère entièrement à une conscience, non point à une conscience conçue logiquement, mais à une conscience actuelle » (*ibid.*, 92).

Ainsi l'épochè prise au stade des *Ideen I* a une double signification : d'une part négative en ce qu'elle isole la conscience comme résidu phénoménologique, et c'est à ce niveau que l'analyse éidétique (c'est-à-dire encore naturelle) de la conscience s'opère ; d'autre part positive parce qu'elle fait émerger la conscience comme radicalité absolue. Avec la réduction phénoménologique, le programme husserlien d'un fondement indubitable et originaire se réalise à une nouvelle étape : de la radicalité éidétique elle nous fait descendre à une radicalité *transcendantale,* c'est-à-dire à une radicalité par laquelle toute transcendance est fondée. (Rappelons qu'il faut entendre par transcendance le mode de présentation de l'objet en général.) Nous demandions comment une vérité mathématique ou scientifique peut être possible, et contre le scepticisme nous avons vu qu'elle n'est possible que par la position de l'essence de ce qui est pensé ; cette position d'essence ne faisait rien intervenir qu'un « voir » *(Schau),* et l'essence était saisie dans une donation originaire. Puis en méditant sur cette donation elle-même, et plus précisément sur la donation originaire des choses (perception), nous avons décelé, en deçà de l'attitude par laquelle nous sommes aux choses, une conscience dont l'essence est hétérogène à tout ce dont elle est conscience, à toute transcendance, et par laquelle le sens même de transcendant est posé. Telle est la vraie signification de la mise entre parenthèses : elle reporte le regard de la conscience sur elle-même, elle convertit la direction de ce regard, et enlève, en suspendant le monde, le voile qui masquait au moi sa propre vérité. Sa suspension exprime que le moi demeure bien ce qu'il est, c'est-à-dire « entrelacé » avec le monde, et que son contenu concret reste bien le flux des *Abschattungen* à travers quoi se dessine la chose. « Le contenu concret de la vie subjective ne disparaît pas dans le passage à la dimension philosophique, mais s'y révèle dans son authenticité. La position du monde a été "mise hors d'action", non pas anéantie : elle reste vivante quoique sous une forme "modifiée", qui permet à la conscience d'être pleinement consciente d'elle-même. L'épochè n'est pas une opération logique exigée par les conditions d'un problème théorique, elle est la démarche qui donne accès à un mode nouveau de l'*existence* : l'existence transcendantale comme existence absolue. Une telle signification ne peut se réaliser que dans un acte de liberté. »[1]

4. **Moi pur, moi psychologique, sujet kantien.** — Il n'est donc pas question d'un retour au subjectivisme psychologiste, car le moi révélé par la réduction n'est précisément pas le moi naturel psychologique ou psychophysique ; il ne s'agit pas davantage d'un repli sur une position kantienne, car le moi transcendantal n'est pas « une conscience conçue logiquement, mais une conscience actuelle ».

1 / On ne peut pas confondre moi transcendantal et moi psychologique, et c'est sur quoi insistent fortement les *Méditations cartésiennes*. Certes, dit Husserl, « moi, qui demeure dans l'attitude naturelle, je suis *aussi* et à tout instant moi transcendantal. Mais (ajoute-t-il) je ne m'en rends compte qu'en effectuant la réduction phénoménologique ». Le moi empirique est « intéressé au monde », il y vit tout naturellement, sur la base de ce moi l'attitude phénoménologique constitue un *dédoublement du moi*, par lequel s'établit le spectateur désintéressé, le moi phénoménologique. C'est ce moi du spectateur désintéressé qu'examine la réflexion phénoménologique, soutenue elle-même par une attitude désintéressée de spectateur. Il faut donc bien admettre simultanément que le moi dont il s'agit est le moi concret, puisque aussi bien il n'y a aucune différence de contenu entre psychologie et phénoménologie, et qu'il n'est pas le moi concret, puisqu'il est dégagé de son être au monde. La

1. Tran-Duc-Thao, *Phénoménologie et matérialisme dialectique*, p. 73-74. On ne saurait trop conseiller la lecture de ce livre remarquable.

psychologie intentionnelle et la phénoménologie transcendantale partiront toutes les deux du *cogito,* mais la première demeure au niveau mondain, tandis que la seconde développe son analyse à partir d'un *cogito* transcendantal qui enveloppe le monde dans sa totalité, le moi psychologique inclus.

2 / Se trouve-t-on donc devant le sujet transcendantal kantien ? Beaucoup de passages aussi bien dans les *Ideen I,* que dans les *Méditations cartésiennes* le suggèrent, et ce n'est pas par hasard que le criticiste Natorp[1] se déclarait d'accord avec les *Ideen I.* Ces suggestions viennent surtout de ce que Husserl insiste sur l'être absolu de la conscience, afin d'éviter que l'on croie que ce moi n'est qu'une région de la nature (ce qui est le postulat même de la psychologie). Il montre qu'au contraire la nature n'est possible que par le moi : « La nature n'est possible qu'à titre d'unité intentionnelle motivée dans la conscience au moyen de connexions immanentes... Le domaine des vécus en tant qu'essence absolue... est par essence indépendant de tout être appartenant au monde, à la nature, et ne le requiert même pas pour son existence. L'existence d'une nature ne peut pas conditionner l'existence de la conscience, puisqu'une nature se manifeste elle-même comme corrélat de la conscience » (*Ideen,* 95-96). Les criticistes (Natorp, Rickert, Kreis, Zocher) s'appuient sur cette philosophie transcendantale, ils montrent que pour Husserl comme pour Kant l'objectivité se ramène à l'ensemble de ces conditions *a priori,* et que le grand problème phénoménologique est celui même de la *Critique* : comment un *donné* est-il possible ? Quant à l'aspect intuitionniste, et notamment quant à cette pure saisie du vécu par lui-même dans la perception immanente, il ne fait aucun doute pour Kreis que son origine est dans un préjugé empiriste : comment en effet pourrait-il se faire qu'un sujet qui n'est rien d'autre que l'ensemble des conditions *a priori* de toute objectivité possible soit *aussi* un flux empirique de vécus apte à saisir son indubitabilité radicale dans une présence originaire à soi ? Kant écrivait : « En dehors de la signification logique du moi, nous n'avons aucune connaissance du sujet en soi qui est à la base du moi comme de toutes les pensées, en qualité de substrat. » Le principe d'immanence husserlien résulte d'une psychologie empiriste, il est incompatible avec la constitution de l'objectivité. Mis à part cette réserve, Husserl serait un assez bon kantien.

Dans un célèbre article[2], E. Fink, alors assistant de Husserl,

1. Husserls Ideen zu einer reinen Phänomenologie, *Logos,* VII, 1917-1918.
2. Die phänomenologische Philosophie E. Husserls in der gegenwärtigen Kritik, *Kantstudien,* XXXVIII, 1933. Contresigné par Husserl.

répond à ces commentaires de façon à éclairer notre problème : la phénoménologie ne se pose pas le problème criticiste à proprement parler, elle se pose le problème de l'*origine du monde,* celui-là même que se posaient les religions et les métaphysiques. Sans doute ce problème a été éliminé par le criticisme, parce qu'il était toujours posé et résolu en des termes aporiques. Le criticisme l'a remplacé par celui des conditions de possibilité du monde pour moi. Mais ces conditions sont elles-mêmes mondaines, et toute l'analyse kantienne demeure au niveau éidétique seulement, c'est-à-dire mondain. Il est donc clair que le criticisme fait une erreur d'interprétation sur la phénoménologie. Cette erreur est particulièrement manifeste en ce qui concerne la question de l'immanence et de la « fusion » du sujet transcendantal avec le sujet concret. En réalité il n'y a pas fusion, mais à l'inverse dédoublement ; car ce qui est donné antérieurement à toute construction conceptuelle, c'est l'unité du sujet ; et ce qui est incompréhensible dans le criticisme en général, c'est que le système des conditions *a priori* de l'objectivité soit un sujet, le sujet transcendantal. En réalité le sujet perceptif est celui-là même qui construit le monde, dans lequel cependant il est par la perception. Quand on l'explore dans la perspective de son entrelacement avec le monde, pour le distinguer de ce monde, on utilise le critère de l'immanence ; mais la situation paradoxale vient de ceci que le contenu même de cette immanence n'est rien d'autre que le monde en tant que visé, qu'intentionnel, que phénomène, alors que ce monde est posé comme existence réelle, et transcendante par le moi. La réduction issue de ce paradoxe nous permet précisément de saisir comment il y a pour nous de l'en soi, c'est-à-dire comment la transcendance de l'objet peut avoir le sens de transcendance dans l'immanence du sujet. La réduction rend au sujet sa vérité de constituant des transcendances, implicite dans l'attitude aliénée qu'est l'attitude naturelle.

5. **L'intentionalité.** — Si l'objet peut avoir le sens de transcendance au sein même de l'immanence du moi, c'est en somme parce qu'il n'y a pas à proprement parler d'immanence à la conscience. La distinction entre les données immanentes et les données transcendantes sur quoi Husserl fonde la première séparation de la conscience et du monde est encore une distinction mondaine. En réalité l'épochè phénoménologique décèle un caractère essentiel à la cons-

cience, à partir duquel s'éclaire le paradoxe que nous soulignions tout à l'heure. L'intentionnalité en effet n'est pas seulement cette donnée psychologique que Husserl a héritée de Brentano, elle est ce qui rend possible l'épochè elle-même : percevoir cette pipe sur la table, c'est non pas avoir une reproduction en miniature de cette pipe *dans* l'esprit comme le pensait l'associationnisme, mais *viser* l'objet pipe lui-même. La réduction en mettant hors circuit la doxa naturelle (position spontanée de l'existence de l'objet) révèle l'objet en tant que visé, ou phénomène, la pipe n'est plus alors qu'un *vis-à-vis (Gegenstand),* et ma conscience cela pour quoi il y a des vis-à-vis. Ma conscience ne peut pas être pensée si imaginairement on lui retire ce dont elle est conscience, on ne peut même pas dire qu'elle serait alors conscience de néant, puisque ce néant serait du même coup le phénomène dont elle serait conscience ; la variation imaginaire opérée sur la conscience nous révèle bien ainsi son être propre qui est d'être conscience de quelque chose. C'est parce que la conscience est intentionalité, qu'il est possible d'effectuer la réduction sans perdre ce qui est réduit : réduire c'est au fond transformer tout donné en vis-à-vis, en phénomène, et révéler ainsi les caractères essentiels du Je : fondement radical ou absolu, source de toute signification ou puissance constituante, lien d'intentionalité avec l'objet. Bien entendu l'intentionalité n'a pas seulement un caractère perceptif ; Husserl distingue divers types d'actes intentionnels : imaginations, représentations, expériences d'autrui, intuitions sensibles et catégoriales, actes de la réceptivité et de la spontanéité, etc. ; bref tous les contenus de l'énumération cartésienne : « Qui suis-je, moi qui pense ? Une chose qui doute, qui entend, qui conçoit, qui affirme, qui nie, qui veut, qui ne veut pas, qui imagine aussi et qui sent. » Par ailleurs, Husserl distingue le Je actuel dans lequel il y a conscience « explicite » de l'objet, et le Je inactuel, dans lequel la conscience d'objet est implicite, « potentielle ». Le vécu actuel (par exemple l'acte de saisie attentive) est toujours cerné par une aire de vécus inactuels, « le flux du vécu ne peut jamais être constitué de pures actualités » (*Ideen,* 63). Tous les vécus actuels ou inactuels sont pareillement intentionnels. Il ne faut donc pas confondre intentionalité et attention. Il y a de l'intentionalité inattentive, implicite. Nous aurons l'occasion de reprendre ce point, essentiel pour la science psychologique : il contient en bref toute la thèse phénoménologique concernant l'inconscient.

On voit donc qu'on peut parler avec Husserl d'une inclusion du monde *dans* la conscience, puisque la conscience n'est pas seulement le pôle Je (noèse) de l'intentionalité, mais aussi le pôle cela (noème) ; mais il faudra toujours préciser que cette inclusion n'est pas *réelle* (la pipe est dans la chambre) mais intentionnelle (le phénomène pipe est à ma conscience). Cette inclusion intentionnelle, qui est révélée dans chaque cas particulier par la méthode de l'analyse intentionnelle, signifie que le rapport de la conscience à son objet n'est pas celui de deux réalités extérieures et indépendantes, puisque d'une part l'objet est *Gegenstand,* phénomène renvoyant à la conscience à laquelle il apparaît, d'autre part la conscience est conscience de ce phénomène. C'est parce que l'inclusion est intentionnelle qu'il est possible de fonder le transcendant *dans* l'immanent sans le dégrader. Ainsi l'intentionalité est par elle-même une réponse à la question : comment peut-il y avoir un objet en soi pour moi ? Percevoir la pipe, c'est précisément la viser en tant qu'existant réel. Ainsi le sens du monde est déchiffré comme sens que je donne au monde, mais ce sens est vécu comme objectif, je le découvre, sans quoi il ne serait pas le sens qu'a le monde pour moi. La réduction en mettant entre nos mains l'*analyse intentionnelle* nous permet de décrire rigoureusement le rapport sujet-objet. Cette description consiste à mettre en œuvre la « philosophie » immanente à la conscience naturelle, et non à épouser passivement le donné. Or cette « philosophie », c'est l'intentionalité elle-même qui la définit. L'analyse intentionnelle (de là vient son nom) doit donc dégager comment le sens d'être *(Seinssinn)* de l'objet est *constitué* ; car l'intentionalité est une visée, mais elle est aussi une donation de sens. L'analyse intentionnelle s'empare de l'objet constitué comme sens et révèle cette *constitution.* Ainsi dans *Ideen II,* Husserl procède successivement aux constitutions de la nature matérielle, de la nature animée et de l'Esprit. Il va de soi que la subjectivité n'est pas « créatrice », puisqu'elle n'est rien par elle-même que *Ichpol,* mais l' « objectivité » *(Gegenständlichkeit)* n'existe à son tour que comme pôle d'une visée intentionnelle qui lui donne son sens d'objectivité.

III. — Le « monde de la vie »

1. **L'idéalisme transcendantal et ses contradictions.** — A ce stade nous sommes donc renvoyés, semble-t-il, à un « idéalisme transcendantal » *(Méd. cart.)* ; cet idéalisme transcendantal était déjà contenu dans l'entreprise même de réduire. Mais comme le sujet transcendantal n'est pas différent du sujet concret, l'idéalisme transcendantal paraît, en outre, devoir être solipsiste. Je suis seul au monde, ce monde lui-même n'est que l'*idée* de l'unité de tous les objets, la chose n'est que l'unité de ma perception de chose, c'est-à-dire des *Abschattungen,* tout sens est fondé « dans »

ma conscience en tant qu'elle est intention ou dona-trice de sens *(Sinngebung)*. En réalité Husserl ne s'est jamais arrêté à cet idéalisme monadique, d'abord parce que l'expérience de l'objectivité renvoie à l'accord d'une pluralité de sujets, ensuite parce que autrui soi-même m'est donné dans une expérience absolument originale. Les autres *ego* « ne sont pas de simples représentations et des objets représentés en moi, des unités synthétiques d'un processus de vérifi-cation se déroulant en "moi", mais justement des "autres" » (*Méd. cart.,* 75). L'altérité de l'autre se dis-tingue de la transcendance simple de la chose en ce que l'autre est un moi pour lui-même et que son unité n'est pas dans ma perception, mais dans lui-même ; en d'autres termes l'autre est un moi pur qui n'a besoin de rien pour exister, il est une existence absolue et un point de départ radical pour lui-même, comme je le suis pour moi. La question devient alors : comment y a-t-il un sujet constituant (autrui) *pour* un sujet constituant (moi) ? Bien entendu autrui est éprouvé par moi comme « étranger » *(Méd. cart.),* puisqu'il est source de sens et intentionalité. Mais en deçà de cette expérience d'étrangeté (qui donnera à Sartre ses thèmes de séparation des cons-ciences), au niveau transcendantal l'explicitation de l'autre ne peut pas être faite dans les mêmes termes que l'explicitation de la chose, et pourtant dans la mesure où l'autre est pour moi, il est aussi par moi, s'il faut en croire les résultats essentiels de la réduc-tion transcendantale. Cette exigence propre à l'expli-citation de l'autre n'est pas vraiment satisfaite dans les *Méditations cartésiennes,* texte auquel nous venons d'emprunter la position même du problème d'autrui. En effet après avoir décrit l' « aperception assimi-lante » par laquelle le corps d'autrui m'est donné comme corps propre d'un autre moi, suggérant le psychique comme son propre indice, et après avoir fait de son « accessibilité indirecte » le fondement pour nous de l'existence de l'autre, Husserl déclare qu'au point de vue phénoménologique « l'autre est une *modification* de "mon" moi » (*Méd. cart.,* 97), ce qui déçoit notre attente. Dans les *Ideen II,* IIIᵉ Partie, Husserl en revanche soulignait l'opposition entre « monde naturel » et « monde de l'esprit » *(Geist)* et la priorité ontologique absolue de celui-ci sur celui-là : l'unité de la chose est celle du déploiement de ses *Abschattungen* pour une conscience, l'unité de la personne est « unité de manifestation absolue ». Dans le cas du sujet, et par conséquent de l'autre en tant que sujet *(alter ego),* on ne peut pas *réduire* l'existence réelle à un corrélat intentionnel puisque ce que j'intentionalise quand je vise autrui, c'est précisément une existence absolue : ici être réel et être intentionnel sont fondus. On peut donc poser à part une « communauté de personnes », que Ricœur (Analyses et problèmes dans *Ideen II, Revue de métaphysique et de morale,* 1951) rapproche de la conscience collective selon Durkheim ou de l'esprit objectif au sens de Hegel, et qui est constituée à la fois sur la saisie mutuelle des subjectivités et la communauté de leur environnement. Cette communauté des personnes est constitutive de *son* propre monde (le monde médiéval, le monde grec, etc.) ; mais est-elle constitutive originairement ? L'affirmer serait poser que le sujet transcendantal et solipsiste n'est pas *radical,* puisqu'il plongerait ses racines dans un monde de l'esprit, dans une culture elle-même constituante.

En d'autres termes la philosophie transcendantale en tant que philosophie du sujet radical ne parvient pas à s'intégrer une sociologie culturelle, il demeure entre elles une « tension » (Ricœur), une contradiction même, et qui n'est pas plaquée sur la pensée phénoménologique, mais qui lui est inhérente : car c'est la philosophie transcendantale elle-même qui conduit au problème de l'intersubjectivité ou de la communauté des personnes, comme le montre le cheminement parallèle des *Méditations cartésiennes* et des *Ideen.* Il est clair que le point de vue d'une sociologie culturelle qui était déjà celui des *Ideen II,* et qui domine largement les derniers écrits (*Krisis,* Lettre à Lévy-Bruhl) introduit, de l'aveu de Husserl lui-même, quelque chose comme un *relativisme historique,* qui est cela même contre quoi la philosophie transcendantale avait à lutter, et cependant cette philosophie ne peut pas ne pas déboucher sur la problématique d'autrui, ni ne pas élaborer ce problème de manière à réviser les acquisitions du subjectivisme radical ; avec l'analyse intentionnelle d'autrui, la radicalité n'est plus du côté du moi, mais du côté de l'intersubjectivité, et celle-ci n'est pas seulement une intersubjectivité pour moi, affirmation par laquelle le moi reprendrait son sens d'unique fondement, elle est une intersubjectivité absolue, ou si l'on veut *première.* Mais on peut dire que Husserl lui-même n'est jamais allé jusque-là : la radicalité du *cogito* transcendantal, telle qu'elle est fondée dans *Ideen I,* demeure le noyau de toute sa philosophie. Dans *Krisis II,* par exemple, on trouve dirigée contre le transcendantalisme cartésien cette critique significative : Descartes « n'a pas découvert que toutes les distinctions du type Je et Tu, dedans et dehors ne se "constituent" que dans l'*ego* absolu ». Ainsi le toi, comme le cela, n'est qu'une synthèse de vécus égologiques.

Et cependant c'est dans le sens de cette « sociologie culturelle » que la pensée de Husserl évolue vers la fin de sa vie. C'est ce dont témoigne abondamment la *Krisis* dont les deux premières parties ont été publiées en 1936 à Belgrade. Cette réflexion sur l'histoire, c'est-à-dire sur l'intersubjectivité, Husserl prend bien soin de la lier étroitement à son problème, celui de la radicalité transcendantale : « Cet écrit tente de fonder la nécessité inéluctable d'une conversion de la philosophie à la phénoménologie transcendantale sur le chemin d'une prise de conscience téléologico-historique appliquée aux origines de la situation critique où nous sommes en ce qui concerne les sciences et la philosophie. Cet écrit constitue dès lors une introduction indépendante à la phénoménologie transcendantale. » En d'autres termes le chemin suivi jusqu'à présent, et qui partant des problèmes logico-mathématiques ou du problème perceptif nous menait à l'*ego* absolu, ce chemin n'est pas privilégié : la voie de l'histoire est aussi sûre. L'élucidation de l'histoire dans laquelle nous sommes engagés éclaire la tâche du philosophe. « Nous qui n'avons pas seulement un héritage spirituel, mais qui ne sommes, de part en part, que des êtres en devenir selon l'esprit historique, c'est seulement à ce titre que nous avons une tâche qui soit vraiment nôtre » (*Krisis,* 15) ; et le philosophe ne peut pas ne pas passer par l'histoire, parce que le philosophe soucieux de radicalité doit comprendre et dépasser les données immédiates historiques, qui sont en réalité les sédimentations de l'histoire, les préjugés, et qui constituent son « monde » au sens culturel. Or quelle est la crise devant laquelle nous nous trouvons ? C'est la crise issue de l'objectivisme. Il ne s'agit pas à proprement parler de la crise de la théorie physique, mais de la crise atteignant la signification des sciences pour la vie elle-même. Ce qui caractérise l'esprit moderne, c'est la formalisation logico-mathématique (celle-là même qui constituait l'espérance des *Recherches logiques*) et la mathématisation de la connaissance naturelle : la *mathesis universalis* de Leibniz et la nouvelle méthodologie de Galilée. C'est sur cette base que se développe l'objectivisme : en découvrant le monde comme mathématique appliquée, Galilée l'a recouvert comme œuvre de la conscience (*Krisis,* II, § 9). Ainsi le formalisme objectiviste est-il aliénateur ; cette aliénation devait apparaître comme malaise dès que la science objective viendrait à s'emparer du subjectif : elle donnait alors à choisir entre construire le psychique sur le modèle du physique, ou bien renoncer à étudier avec rigueur le psychique. Descartes annonce la solution en introduisant le *motif transcendantal* : par le *cogito* la vérité du monde comme phénomène, comme *cogitatum* lui est rendue, l'aliénation objectiviste conduisant aux apories métaphysiques de l'âme et de Dieu cesse alors – ou du moins aurait cessé, si Descartes n'avait été lui-même dupe de l'objectivisme galiléen, et n'avait confondu le *cogito* transcendantal et le moi psychologique : la thèse de l'*ego res cogitans* biffe tout l'effort transcendantal. De là le double héritage cartésien : le rationalisme métaphysique, qui élimine l'*ego* ; l'empirisme sceptique, qui ruine le savoir. C'est seulement le transcendantalisme, articulant tout savoir sur un *ego* fondamental, donateur de sens, et vivant d'une vie pré-objective, préscientifique, dans un « monde de la vie » immédiat dont la science exacte n'est que le revêtement, qui donnera à l'objectivisme son vrai fondement, et lui retirera son pouvoir aliénateur : la philosophie transcendantale rend possible la réconciliation de l'objectivisme et du subjectivisme, du savoir abstrait et de la vie concrète. Ainsi le sort de l'humanité européenne, qui est aussi celui de l'humanité tout court, est-il lié aux chances de conversion de la philosophie à la phénoménologie : « Nous sommes par notre activité philosophique les fonctionnaires de l'humanité. »

2. **La *Lebenswelt*.** — Nous ne pouvons prolonger la description de l'évolution de Husserl en ce sens. On voit que depuis la doctrine de la *Wesenschau* l'accentuation de sa pensée s'est sensiblement modifiée ; il est cependant incontestable que cette pensée demeure jusqu'au bout dans l'axe du problème central qui est la radicalité. Mais l'*ego* absolu dont le philosophe des *Ideen* faisait un pôle unique identique et universel, apparaît sous un nouveau jour dans la philosophie de la dernière période. Nous venons de le voir engagé dans l'histoire et dans l'intersubjectivité. Husserl le nomme parfois le *Leben* (la vie), sujet de la *Lebenswelt* ; nous savions déjà qu'au fond il n'y a pas de différence entre l'*ego* concret et le sujet transcendantal ; mais cette identification est ici soulignée au point que le dernier aspect de la philosophie de Husserl a pu être qualifié d'empiriste (J. Wahl).

C'est dans l'élaboration de la grande question qu'il posait dès les *Recherches logiques,* et qui était de savoir ce que l'on entend par vérité, que se dégage principalement la philosophie de la *Lebenswelt*. Il est clair que la vérité ne peut pas être ici définie par l'adéquation de la pensée et de son objet, puisqu'une telle définition impliquerait que la philosophe qui définit contemple toute la pensée d'une part, et d'autre part tout l'objet dans leur relation d'extériorité totale : la phénoménologie nous a appris qu'une telle extériorité est impensable. La vérité ne peut pas non plus se définir seulement comme un ensemble de conditions *a priori*, car cet ensemble (ou sujet transcendantal à la manière kantienne) ne peut pas dire Je, il n'est pas radical, il n'est qu'un moment objectif de la subjectivité. La vérité ne peut être définie que comme expérience vécue de la vérité : c'est l'évidence. Mais ce vécu n'est pas un sentiment, car il est clair que le sentiment ne garantit rien contre l'erreur ; l'évidence est le mode originaire de l'intentionalité, c'est-à-dire le moment de la conscience où *la chose même* dont on parle se donne en chair et en os, en personne à la conscience, où l'intuition est « remplie ». Pour pouvoir répondre à la question « le mur est-il jaune ? », ou bien j'entre dans la chambre et regarde le mur (c'est, au niveau perceptif, une évidence originaire que Husserl nomme souvent « expérience »), ou bien j'essaye de me le rappeler, ou bien je questionne autrui à ces propos ; dans ces deux derniers cas, j'éprouve s'il existe en moi ou en autrui une « expérience », encore présente, de la couleur du mur. Toute justification possible du jugement devra passer par cette « expérience présente » de la chose même ; ainsi l'évidence est le sens de toute justification, ou de toute rationalisation. Bien entendu l'expérience ne porte pas seulement sur l'objet perceptif, elle peut porter sur une valeur (beauté), bref sur n'importe lequel des modes intentionnels énumérés plus haut (p. 28). Toutefois, cette évidence, ou vécu de la vérité, ne présente pas une garantie totale contre l'erreur : sans doute il est des cas où nous n'avons pas l' « expérience » de ce dont nous parlons, et nous l'éprouvons nous-mêmes avec évidence ; mais l'erreur peut s'insérer dans l'évidence même. Ce mur jaune, je m'aperçois à la lumière du jour qu'il était gris. Il y a alors deux évidences successives et contradictoires. La première contenait une erreur. A quoi Husserl répond dans la *Logique formelle et logique transcendantale,* § 8 : « Même une évidence qui se donne comme apodictique peut se dévoiler comme illusion, ce qui présuppose néanmoins une évidence du même genre, dans laquelle elle "éclate". » En d'autres termes c'est toujours et exclusivement dans l'expérience actuelle que l'expérience antérieure m'apparaît comme illusoire. Ainsi il n'y a pas une « expérience vraie » vers laquelle il faudrait se retourner comme vers l'index de la vérité et de l'erreur ; la vérité s'éprouve toujours et exclusivement dans une expérience actuelle, le flux des vécus ne se remonte pas, on peut dire seulement que si tel vécu se donne actuellement à moi comme une évidence passée et erronée, cette actualité même constitue une nouvelle « expérience » qui exprime, dans le présent vivant, à la fois l'erreur passée et la vérité présente comme la correction de cette erreur. Il n'y a donc pas une vérité absolue, postulat commun du dogmatisme et du scepticisme, la vérité se définit en devenir comme révision, correction et dépassement d'elle-même, cette opération dialectique se faisant toujours au sein du présent vivant *(lebendige Gegenwart)* ; ainsi, contrairement à ce qui se produit dans une thèse dogmatique, l'erreur est compréhensible, parce qu'elle est impliquée dans le sens même de l'évidence par laquelle la conscience constitue le vrai. Il faut donc pour répondre correctement à la question de la vérité, c'est-à-dire pour bien décrire l'expérience du vrai, insister fortement sur le devenir génétique de l'*ego* : la vérité n'est pas un objet, c'est un mouvement, et elle n'existe que si ce mouvement est *effectivement fait par moi.*

Par conséquent pour vérifier un jugement, c'est-à-dire pour en dégager le sens de vérité, il faut procéder à une analyse régressive aboutissant à une « expérience » pré-catégoriale (anté-prédicative), laquelle constitue une présupposition fondamentale de la logique en général (Aron Gurwitsch)[1]. Cette présupposition n'est pas un axiome logique. Elle est condition philosophique de possibilité, elle constitue le sol *(Boden)* dans lequel toute prédication plonge sa

1. Présuppositions philosophiques de la logique, *RMM,* XLVI, 1951.

racine. Avant toute science, ce dont il s'agit nous est prédonné dans une « croyance » passive, et le « prédonné universel passif de toute activité jugeante » est nommé « monde », « substrat absolu, indépendant, au sens fort d'indépendance absolue » (*Expérience et jugement,* 26 et 157). Le fondement radical de vérité se dévoile à la fin d'un retour par l'analyse intentionnelle à la *Lebenswelt,* monde au sein duquel le sujet constituant « reçoit les choses » comme synthèses passives antérieures à tout savoir exact. « Cette réceptivité doit être vue comme étape inférieure de l'activité » (*ibid.,* 83), ce qui signifie que l'*ego* transcendantal constituant le sens de ces objets se réfère implicitement à une saisie passive de l'objet, à une complicité primordiale qu'il a avec l'objet. Cette allusion trop brève nous permet de préciser pour finir que le « monde » dont il s'agit ici n'est pas évidemment le monde de la science naturelle, il est l'ensemble ou idée au sens kantien de tout ce dont il y a et dont il peut y avoir conscience.

Ainsi après la réduction qui avait écarté le monde sous sa forme constituée, pour rendre à l'*ego* constituant son authenticité de donateur de sens, la démarche husserlienne en explorant le sens même de cette *Sinngebung* subjective retrouve le monde comme la réalité même du constituant. Il ne s'agit pas évidemment du même monde : le monde naturel est un monde fétichisé où l'homme s'abandonne comme existant naturel et où il « objective » naïvement la signification des objets. La réduction cherche à effacer cette aliénation, et le monde primordial qu'elle découvre en se prolongeant est le sol d'expériences vécues sur lequel s'élève la vérité de la connaissance théorique. La vérité de la science n'est plus fondée en Dieu comme chez Descartes, ni dans les conditions *a priori* de possibilité comme chez Kant, elle est fondée sur le vécu immédiat d'une évidence par laquelle l'homme et le monde se trouvent être d'accord originairement.

Note sur Husserl et Hegel

C'est de Hegel que le terme de phénoménologie a reçu pleine et singulière acception, avec la publication en 1807 de *Die Phänomenologie des Geistes.* La phénoménologie est « science de la conscience », « en tant que la conscience est en général le savoir d'un objet, ou extérieur ou intérieur ». Hegel écrit dans la Préface à la *Phénoménologie* : « L'être-là immédiat de l'esprit, *la conscience,* possède les deux moments : celui du savoir et celui de l'objectivité qui est le négatif à l'égard du savoir. Quand l'esprit se développe dans cet élément de la conscience et y étale ses moments, cette opposition échoit à chaque moment particulier, et ils surgissent tous alors comme des figures de la conscience. La science de ce chemin est la science de l'*expérience* que fait la conscience » (trad. J. Hyppolite, p. 31-32). Ainsi n'y a-t-il pas de réponse à la question s'il faut en philosophie partir de l'objet (réalisme), ou s'il faut partir du moi (idéalisme). La notion même de phénoménologie met en vacance cette question : la conscience est toujours conscience de, et il n'y a pas d'objet qui ne soit objet pour. Il n'y a pas d'immanence de l'objet à la conscience si l'on n'assigne corrélativement à l'objet un sens rationnel, faute de quoi l'objet ne serait pas un objet pour. Le concept ou sens n'est pas extérieur à l'être, l'être est immédiatement concept en soi, et le concept est être pour soi. La pensée de l'être, c'est l'être qui se pense lui-même et par conséquent la « méthode » qu'emploie cette pensée, la philosophie même, n'est pas constituée d'un ensemble de catégories indépendantes de ce qu'elle pense, de son contenu. La forme de la pensée ne se distingue de son contenu que formellement, elle est concrètement le contenu lui-même qui se saisit, l'en-soi qui devient pour-soi. « On doit considérer les formes de la pensée en soi et pour soi ; car elles sont l'objet et l'activité de l'objet » *(Encyclopédie).* Ainsi l'erreur kantienne – mais c'était une erreur positive en tant que moment dans le devenir-vérité de l'Esprit – consistait à découvrir les formes et les catégories comme fondement absolu de la pensée de l'objet et de l'objet pour la pensée : l'erreur, c'était d'admettre le transcendantal comme originaire.

Selon l'identification dialectique de l'être et du concept, le problème de l'originalité est en effet « enjambé » : il n'y a pas de commencement immédiat et absolu, c'est-à-dire un quelque chose sans la conscience ou une conscience sans quelque chose, au moins parce que le concept de commencement ou d'immédiat contient comme sa négation dialectique la perspective d'une progression subséquente, d'une médiation. « La progression n'est pas superflue ; elle le serait si le commencement était déjà vraiment absolu » *(Science de la logique)*. Rien n'est absolument immédiat, tout est dérivé, à la rigueur la seule réalité « non dérivée » c'est l'ensemble du système des dérivations, c'est-à-dire l'Idée absolue de la *Logique* et le Savoir absolu de la *Phénoménologie* : le résultat de la médiation dialectique s'apparaît à lui-même comme seul immédiat absolu. Le savoir absolu, écrit Hyppolite, « ne part pas d'une origine, mais du mouvement même de partir, du *minimum rationale* qui est la triade *Être-Néant-Devenir,* c'est-à-dire qu'il part de l'Absolu comme médiation, sous sa forme encore immédiate, celle du devenir » (*Logique et existence,* 85).

Cette double proposition hégélienne : l'être est déjà sens ou concept, il n'y a pas un originaire qui fonde la connaissance, permet de délimiter assez clairement Husserl de Hegel à partir de leur commune critique du kantisme. Sur la première partie de cette proposition, la phénoménologie husserlienne donne en effet son accord : l'objet est « constitué » par la sédimentation de significations, qui ne sont pas les conditions *a priori* de toute expérience au sens kantien, puisque l'entendement qui établit ces conditions comme fondatrices de l'expérience en général est lui-même déjà fondé sur l'expérience. Il n'y a pas une antériorité logique des catégories ni même des formes par lesquelles un sujet transcendantal se donnerait des objets, c'est au contraire, comme le montre *Erfahrung und Urteil,* les jugements et les catégories qu'ils emploient qui supposent une certitude *première,* celle qu'il y a de l'être, c'est-à-dire la *croyance* en une réalité. Husserl la nomme *Glaube,* foi, croyance, pour souligner qu'il s'agit d'un présavoir. Avant toute activité prédicative, et même avant toute donation de sens, même s'il s'agit de la perception de la chose sensible, il y a au sein de la « présentation passive » « *une foi exercée et inéluctable* en l'existence de *quelque* réel... Source de tout savoir et exercée, en lui (cette croyance) n'est pas entièrement récupérable dans un savoir proprement dit et explicite » (Waelhens, *Phénoménologie et vérité,* 52 et 50).

Si donc la récupération de la totalité du réel (au sens hégélien) s'avère impossible, c'est précisément parce qu'il y a du réel originaire, immédiat, absolu qui fonde toute récupération possible. Faut-il alors dire qu'il est *ineffable,* s'il est vrai que tout logos, tout discours rationnel, toute dialectique de la pensée présuppose à son tour la *foi* originaire ? Y a-t-il donc de l'antérationnel ? On comprend que cette question suffit à distinguer nettement de Hegel la phénoménologie husserlienne et post-husserlienne. « Il n'y a pas pour Hegel, écrit Hyppolite, d'ineffable qui serait en deçà ou au-delà du savoir, pas de singularité immédiate ou de transcendance ; il n'y a pas de silence ontologique, mais le discours dialectique est une conquête progressive du sens. Cela ne signifie pas que ce sens serait en droit antérieur au discours qui le découvre et le crée..., mais ce sens se développe dans le discours même » (*Logique et existence,* 25-26). Hegel dans l'article *« Glauben und Wissen »* s'attaquait déjà à la transcendance de l'en-soi kantien comme produit d'une philosophie de l'entendement, pour qui la présence de l'objet demeure simple apparence d'une réalité *cachée.* Or, n'est-ce pas une autre et même transcendance que Husserl réintroduit, dans *Expérience et jugement,* sous la forme de la *Lebenswelt* antéprédicative ? Pour autant que ce monde originaire de la vie est antéprédicatif, toute prédication, tout discours l'*implique* certes, mais le *manque,* et à proprement parler on ne peut rien en dire. Ici aussi, quoique en un tout autre sens, le *Glauben* remplace le *Wissen,* et le silence de la *foi* met fin au dialogue des hommes sur l'être. Dès lors, la vérité de Husserl serait dans Heidegger pour qui « la dualité du moi et de l'être est insurmontable » (Waelhens), et pour qui le prétendu savoir absolu ne fait que traduire le caractère « métaphysique », spéculatif, inauthentique du système qui le suppose. L'immédiat, l'originaire de Husserl est pour Hegel un médiat qui s'ignore comme moment dans le devenir total de l'être et du Logos : mais l'absolu de Hegel, c'est-à-dire le devenir pris comme totalité refermée sur elle-même et pour elle-même en la personne du Sage, est pour Husserl fondé et non originaire, spéculatif et non « sol » de toute vérité possible.

Par conséquent lorsque Kojève montre, dans l'*Introduction à la lecture de Hegel,* que la méthode de la *Phénoménologie de l'esprit* est celle même de Husserl « purement descriptive et non dialectique » (467), sans doute n'a-t-il pas tort ; il faut cependant ajouter que la *Phénoménologie* hégélienne *clôt* le système, elle est la reprise totale de la réalité totale dans le savoir absolu, tandis que la description husserlienne *inaugure* la saisie de la « chose même » en deçà de toute prédication, et c'est pourquoi elle n'a jamais fini de se reprendre, de se biffer, puisqu'elle est un combat du langage contre lui-même pour atteindre l'originaire (on peut noter à ce propos les remarquables similitudes, toutes choses égales d'ailleurs, du « style » de Merleau-Ponty avec celui de Bergson). Dans ce combat, la défaite du philosophe, du logos est certaine, puisque l'originaire, décrit, n'est plus originaire en tant que décrit. Chez Hegel au contraire l'être immédiat, le prétendu « originaire » est déjà logos, sens, il n'est pas l'aboutissement de l'analyse régressive, commencement absolu de l'existence, on ne peut pas « considérer le commencement comme un immédiat, mais comme médié et dérivé, puisqu'il est lui-même déterminé vis-à-vis de la détermination du résultat » *(Science de la logique)*. « Aucun objet, en tant qu'il se présente comme quelque chose d'externe, comme éloigné de la raison, comme indépendant d'elle, ne peut lui résister, ne peut en face d'elle être d'une nature particulière, ne peut ne pas être pénétré par elle » *(Ibid.)*.

Apparemment donc le conflit est total entre le rationalisme hégélien et Husserl. Si toutefois l'on considère que l'entreprise phénoménologique est fondamentalement *contradictoire* en tant que désignation par le langage d'un signifié pré-logique dans l'être, elle est inachevée à jamais parce que renvoyée dialectiquement de l'être au sens à travers l'analyse intentionnelle ; alors la vérité est devenir, et pas seulement « évidence actuelle », elle est reprise et correction des évidences successives, dialectique des évidences, « la vérité, écrit Merleau-Ponty, est un autre nom de la sédimentation, qui elle-même est la présence de tous les présents dans le nôtre » (Sur la phénoménologie du langage, in *Problèmes actuels de la phénoménologie,* 107), la vérité est *Sinngenesis,* genèse du sens. Dès lors, si d'autre part on admet que « la *Phénoménologie de l'esprit,* c'est la philosophie militante, non pas encore triomphante » (Merleau-Ponty), si l'on comprend le rationalisme hégélien comme ouvert, le système comme étape, peut-être que Husserl et Hegel convergent finalement dans le « Nous voulons voir le vrai sous forme de résultat » de la *Philosophie du droit* – mais à condition que ce résultat soit aussi moment.

DEUXIÈME PARTIE

PHÉNOMÉNOLOGIE ET SCIENCES HUMAINES

Chapitre I

POSITION DU RAPPORT

1 / On a pu voir que le problème des sciences humaines n'est pas annexe dans la pensée phénoménologique. Au contraire on peut dire qu'en un sens il en est le centre. C'est en effet à partir de la crise du psychologisme, du sociologisme, de l'historicisme que Husserl veut tenter de restituer à la science en général et aux sciences humaines leur validité. Le psychologisme prétend réduire les conditions de la connaissance vraie aux conditions effectives du psychisme, de telle sorte que les principes logiques garantissant cette connaissance ne seraient eux-mêmes garantis que par des lois de fait établies par le psychologue. Le sociologisme cherche à montrer que tout savoir peut à la rigueur se déduire des éléments du milieu social dans lequel il est élaboré, et l'historicisme, soulignant la relativité de ce milieu au devenir historique, met la dernière main à cette dégradation du savoir : en dernière analyse chaque civilisation, et à l'intérieur de chaque civilisation chaque moment historique, et à l'intérieur de chaque moment telle conscience individuelle – produisent une architecture de mythes, élaborent une *Weltanschauung* : c'est dans la philosophie, dans la religion, dans l'art que cette « vision du monde » s'exprime le mieux, mais finalement la science elle aussi est une « vision du monde ». Le philosophe

allemand Dilthey, dont l'influence sur Husserl a été considérable, est au centre de cette philosophie relativiste.

Le relativisme était né des sciences humaines (positivisme de Comte, humanisme de Schiller, pragmatisme de James). Il entraînait leur disparition comme sciences. Car si l'on ruine la validité du savoir en subordonnant les principes et catégories logiques qui le fondent (causalité par exemple) à des processus psychiques établis par le psychologue, il reste à savoir quelle est la validité des principes et catégories utilisés par le psychologue pour établir ces processus. Faire de la psychologie la science clé, c'est la détruire comme science puisqu'elle est inapte à se légitimer elle-même. En d'autres termes le relativisme attaque non seulement les sciences de la nature, mais les sciences humaines et encore au-delà l'infrastructure logique sur laquelle le corps des sciences s'établit. C'est par la défense de cette infrastructure que Husserl lucidement commençait son œuvre.

2 / Dans cette perspective, la phénoménologie est une logique : des *Recherches logiques* à *Expérience et jugement,* on a pu voir la constance de la pensée husserlienne. Mais cette logique n'est pas formelle ni métaphysique : elle ne se satisfait pas d'un ensemble d'opérations et de conditions opératoires définissant le champ du raisonnement vrai ; mais elle ne veut pas davantage fonder l'opératoire sur du transcendant, ni affirmer que 2 et 3 font 5, parce que Dieu le veut ou parce que Dieu qui a mis en nous cette égalité ne peut pas être trompeur. La logique qu'est la phénoménologie est une logique fondamentale qui cherche comment *en fait* il y a de la vérité pour nous : l'expérience au sens husserlien exprime ce fait. Il ne peut pas s'agir d'un empirisme pur et simple, dont Husserl a maintes fois critiqué la contradiction profonde. Il s'agit en réalité de faire sortir le droit du fait. Est-ce retomber dans le relativisme sceptique ? Non, puisque le relativisme, le psychologisme par exemple, ne parvient précisément pas à faire sortir la valeur de la réalité : il réduit le nécessaire au contingent, il réduit la vérité logique du jugement à la certitude psychologique éprouvée par celui qui juge. Ce que veut faire la phénoménologie, c'est au contraire à partir d'un jugement vrai redescendre à ce qui est *effectivement vécu* par celui qui juge. Or pour saisir ce qui est effectivement vécu, il faut s'en tenir à une description épousant étroitement les modifications de conscience : le concept de certitude, proposé par Mill pour décrire la vérité comme vécu de conscience, ne rend absolument pas compte de ce qui est réellement vécu. On voit alors apparaître la nécessité d'une description de conscience extrêmement fine et souple, dont l'hypothèse de travail est la réduction phénoménologique : celle-ci en effet

ressaisit le sujet dans sa subjectivité en l'extrayant de son aliénation au sein du monde naturel, et garantit que la description porte bien sur la conscience effectivement réelle et non sur un substitut plus ou moins objectivé de celle-ci. Pour le psychologue il n'y a pas de jugement vrai et de jugement faux : il y a des jugements à décrire. La vérité de ce que juge le sujet qu'il observe n'est pour le psychologue qu'un événement en soi nullement privilégié ; ce sujet qui juge est déterminé, enchaîné dans des séries de motivations qui portent la responsabilité de son jugement. On ne peut donc atteindre le vécu de vérité qu'il s'agit de décrire que si l'on ne biffe pas d'abord la subjectivité du vécu.

3 / Ainsi la philosophie du sujet transcendantal requérait inéluctablement une *psychologie* du sujet empirique. Nous avons longuement insisté sur l'identité entre les deux sujets, qui ne sont qu'un ; dans la perspective des sciences humaines, cette identité signifie que « la psychologie intentionnelle porte déjà le transcendantal en elle-même » *(Méd. cart.),* ou qu'une description psychologique bien faite ne peut pas ne pas restituer finalement l'intentionnalité constituante du moi transcendantal. La phénoménologie était donc amenée inévitablement à inscrire la psychologie à son programme, non pas seulement parce qu'elle pose des problèmes méthodologiques particuliers, mais surtout parce que la phénoménologie est une philosophie du *cogito*.

Le lien qui l'unit à la *sociologie* n'est pas moins étroit : nous avons très rapidement signalé à propos de la Ve *Méd. cart.* et de *Ideen II,* comment le solipsisme transcendantal bute sur le problème d'autrui. Il ne paraît pas que Husserl soit parvenu à une version définitive de ce problème ; cependant quand il écrit que « la subjectivité transcendantale est intersubjectivité », ou que le monde de l'esprit possède sur le monde naturel une priorité ontologique absolue, il donne à entendre que le fait de l'*Einfühlung* ou de la coexistence avec autrui qui est une compréhension d'autrui, innove une relation de réciprocité où le sujet transcendantal concret se saisit lui-même comme autrui en tant qu'il est « un autre » pour autrui, et introduit dans la problématique de ce sujet un élément absolument original : le social. Ici encore la phénoménologie était amenée inévitablement, par cela même qu'elle n'est pas une métaphysique, mais une philosophie du concret, à s'emparer des données sociologiques pour s'éclairer elle-même, et aussi bien à remettre en question les procédés par lesquels les sociologues obtiennent ces données, pour éclairer la sociologie.

Que la phénoménologie s'interrogeât sur l'*histoire* enfin, c'était l'interrogation même de l'histoire sur la phénoménologie et sur toute philosophie qui l'y conduisait, mais c'était aussi la découverte, au sein du sujet transcendantal concret, du problème du temps, qui est aussi, compte tenu du « parallélisme » psycho-phénoménologique, le problème de l'histoire individuelle : comment peut-il y avoir de l'histoire pour la conscience ? Cette question est assez voisine de celle de la phénoménologie : comment peut-il y avoir autrui pour ma conscience ? En effet par l'histoire, c'est moi qui deviens autre en demeurant le même ; par autrui, c'est un autre qui se donne comme moi. En particulier si l'on définit la vérité comme vécu de vérité, et si l'on admet que les vécus se succèdent dans un flux infini, le problème du temps intérieur et de l'histoire individuelle est éminemment susceptible de rendre caduque toute prétention à la vérité : on ne se baigne jamais deux fois dans le même fleuve ; et pourtant la vérité semble exiger l'intemporalité. Si enfin la subjectivité transcendantale est définie intersubjectivité, le même problème se pose non plus au niveau individuel, mais à celui de l'histoire collective.

4 / La phénoménologie constitue à la fois une introduction « logique » aux sciences humaines, en tant qu'elle cherche à en définir éidétiquement l'objet, antérieurement à toute expérimentation ; et une « reprise » philosophique des résultats de l'expérimentation, dans la mesure où elle cherche à en ressaisir la signification fondamentale en procédant notamment à l'analyse critique de l'outillage mental utilisé. En un premier sens, la phénoménologie est la science éidétique correspondant aux sciences humaines empiriques (notamment à la psychologie) ; en un second sens, elle s'installe au cœur de ces sciences, au cœur du fait, réalisant ainsi la vérité de la philosophie qui est de dégager l'essence *dans* le concret lui-même : elle est alors le « révélateur » des sciences humaines. Ces deux sens correspondent à deux étapes de la pensée husserlienne. Ils sont étroitement confondus dans la pensée, phénoménologique actuelle, mais nous verrons qu'on peut cependant les isoler encore, et que la définition éidétique (par variation imaginaire) est d'un usage difficile, pour ne pas dire arbitraire.

Chapitre II

PHÉNOMÉNOLOGIE
ET PSYCHOLOGIE

1. **L'introspection.** — Le psychologue objectiviste, principal interlocuteur du phénoménologue, affirme que la psychologie doit renoncer à privilégier le moi dans la connaissance de lui-même. L'introspection comme méthode générale de la psychologie admettait d'*abord* l'axiome : que le vécu de conscience constitue par lui-même un savoir de la conscience. Je suis effrayé, je sais donc ce qu'est la peur, puisque je suis peur. Cet axiome supposait à son tour une *transparence* totale de l'événement de conscience au regard de la conscience, et que tous les faits de conscience sont des faits conscients. En d'autres termes le vécu se donne immédiatement avec son sens, lorsque la conscience se tourne vers lui. *Deuxièmement* ce vécu était conçu par cette psychologie introspective comme *intériorité* : il faut distinguer de façon catégorique l'extérieur et l'intérieur, ce qui relève des sciences de la nature ou objectif, et le subjectif, auquel on n'accède que par l'introspection. A dire vrai cette dissociation s'est révélée rapidement d'un usage délicat surtout avec les progrès de la physiologie parce que le problème se posait de savoir *où* passait la ligne de démarcation : de là les hypothèses parallélistes, épiphénoménistes, etc., jusqu'à ce que l'on comprenne enfin, et la phénoménologie joue un grand rôle dans cette maturation du problème, qu'une frontière ne peut séparer que des régions de même nature : or le psychique n'existe pas *comme* l'organique. *En troisième lieu* le vécu de conscience avait un caractère strictement *individuel,* en ce double sens qu'il est le vécu d'un individu situé et daté, et qu'il est lui-même un vécu qui ne saurait se reproduire. C'est ce dernier caractère que ces « psychologues » invoquaient d'une façon déterminante pour défendre la méthode introspective : il faut saisir le vécu immédiatement, faute de quoi le vécu sur lequel on réfléchit *ensuite* est un nouveau vécu, et le lien de l'un

à l'autre ne présente aucune garantie de fidélité. L'hétérogénéité des « états de conscience » condamne toute forme de saisie autre que l'introspection. L'individualité et même l'unicité du vécu saisi par l'introspection pose évidemment le double problème de son universalité et de sa transmissibilité : la philosophie traditionnelle et la psychologie introspective le résolvent généralement d'abord en faisant l'hypothèse d'une « nature humaine », d'une « humaine condition » qui autoriserait l'universalisation des résultats particuliers, ensuite en préférant à l'instrument de communication qu'est le langage quotidien ou le langage scientifique, un langage d'expression par lequel l'intériorité serait le moins trahie. De là la préférence de cette psychologie pour les formes littéraires. On reconnaîtra au passage l'un des problèmes essentiels du bergsonisme qui n'a finalement jamais été abordé de front par Bergson, encore qu'il constituât la clé de tous les autres. *Enfin* l'hétérogénéité des vécus dans le flux de conscience traduisait une *contingence* qui interdisait en dernier ressort que le psychologue élaborât des lois à propos du psychique : la loi présuppose le déterminisme.

2. La réflexion.

— La phénoménologie se trouve être d'accord avec l'objectivisme pour critiquer certaines thèses introspectionnistes. Que le sens d'un contenu de conscience soit immédiatement manifeste et saisissable en tant que tel, cela est démenti par l'entreprise psychologique elle-même : si nous éprouvons le besoin d'une science psychologique, c'est précisément parce que nous savons que nous ne savons pas ce qu'est le psychisme. Il est vrai qu'étant effrayé, je suis peur, mais je ne sais pas *ce qu*'est la peur pour autant, je « sais » seulement *que* j'ai peur : on mesurera la distance entre ces deux savoirs. En réalité « la connaissance de soi par soi est indirecte, elle est une construction, il me faut déchiffrer ma conduite comme je déchiffre celle de l'autre » (Merleau-Ponty, *Les sciences de l'homme et la phénoménologie*). La phénoménologie oppose ainsi la réflexion à l'introspection. Pour que la réflexion soit valable, il faut évidemment que le vécu sur lequel on réfléchit ne soit pas immédiatement entraîné par le flux de conscience, il faut donc qu'il demeure d'une certaine manière identique à lui-même à travers ce devenir. On comprend pourquoi Husserl, dès *Ideen I,* cherchait à fonder la validité de la réflexion sur la « rétention », fonction qui ne doit pas être confondue avec la mémoire puisqu'elle en est au contraire la condition : par la rétention le vécu continue de m'être « donné » *lui-même et en personne,* affecté d'un style différent, c'est-à-dire sur le mode du « ne plus ». Cette colère qui m'a pris hier existe bien encore pour moi implicitement, puisque je puis par la mémoire la ressaisir, la dater, la localiser, lui trouver des motivations, des excuses ; et c'est bien cette même colère qui est ainsi « retenue » au sein de mon « présent vivant », parce que même si j'affirme conformément aux lois expérimentales de la dégradation du souvenir que le vécu de colère présent est modifié, cette affirmation implique en profondeur que « j'ai » encore d'une certaine manière la colère non modifiée, pour pouvoir lui « comparer » la colère passée dont ma mémoire m'informe présentement. Le *Gegenstand* colère est le même à travers les évocations successives que je puis en faire, puisque c'est toujours de la même colère que je parle. C'est ainsi que toute réflexion est possible, et notamment la réflexion phénoménologique, qui tente précisément de restituer le vécu dont il s'agit (la colère) en le *décrivant* le plus adéquatement qu'il est possible : cette réflexion est une *reprise* descriptive du vécu lui-même, saisi alors comme *Gegenstand* pour la conscience actuelle de celui qui décrit. Il s'agit en somme de dessiner fidèlement le *cela* que je pense quand je pense ma colère passée : mais encore faut-il que je pense *effectivement* cette colère vécue, et non pas telle reconstruction de ma colère, je ne dois pas me laisser masquer le phénomène réellement vécu par une interprétation préalable de ce phénomène. Ainsi la réflexion phénoménologique se distingue de la réflexion des philosophies traditionnelles, qui consiste à réduire l'expérience vécue à ses conditions *a priori* et ainsi retrouvons-nous, à la base de la réflexion que la phénoménologie oppose à la psychologie introspective, le souci husserlien de la chose même, le souci de naïveté, c'est ce souci qui motive la réduction, garantie contre l'insertion des préjugés et l'épanouissement des aliénations dans la description réflexive que j'ai à faire de la colère. C'est donc le vécu de colère antérieur à toute rationalisation, à toute thématisation qu'il me faut d'abord dégager par l'analyse réflexive, pour pouvoir ensuite reconstituer sa signification.

3. **Intentionalité et comportement.** — La phénoménologie, ici encore parallèle à l'objectivisme, était ainsi nécessairement amenée à rejeter la distinction classique de l'intérieur et de l'extérieur. En un sens on peut dire que tout le problème husserlien est de définir comment il y a pour moi des « objets », et c'est pourquoi il est vrai de dire que l'intentionalité est au centre de la pensée phénoménologique. L'intentionalité, prise au sens psychologique, exprime précisément l'insuffisance foncière de la coupure entre l'intériorité et l'extériorité. Dire que la conscience est conscience de quelque chose, c'est dire qu'il n'y a pas de noèse sans noème, de *cogito* sans *cogitatum,* mais pas non plus d'*amo* sans *amatum,* etc., bref que je suis entrelacé avec le monde. Et l'on se rappelle que la réduction ne signifie pas du tout interruption de cet entrelacement, mais seulement mise hors circuit de l'aliénation par laquelle je me saisis mondain et non transcendantal. A la rigueur, le moi pur isolé de ses corrélats n'est rien. Ainsi le moi psychologique (qui est le même que le moi pur) est-il constamment et par

essence jeté au monde, engagé dans des situations. On parvient alors à une nouvelle localisation du « psychisme » qui n'est plus intériorité, mais intentionalité, autrement dit rapport du sujet et de la situation, étant bien entendu que ce rapport n'unit pas deux pôles isolables à la rigueur, mais au contraire que le moi comme la situation n'est définissable que dans et par ce rapport. Contre saint Augustin évoquant le retour à la vérité intérieure, Merleau-Ponty écrit : « Le monde n'est pas un objet dont je possède pardevers moi la loi de constitution, il est le milieu naturel et le champ de toutes mes pensées et de toutes mes perceptions explicites. La vérité n' "habite" pas seulement l' "homme intérieur", ou plutôt il n'y a pas d'homme intérieur, l'homme est au monde, c'est dans le monde qu'il se connaît » (*Phénoménologie de la perception,* p. v). Ainsi le monde est né comme extériorité et affirmé comme « entourage », le moi est né comme intériorité et affirmé comme « existant ».

Or le même déplacement de la notion centrale de toute la psychologie, à savoir le psychisme lui-même, observait parallèlement dans les recherches empiriques. Le concept de comportement, tel qu'il est défini par exemple par Watson en 1914, répond déjà à la même intention : le comportement est conçu « périphériquement », c'est-à-dire qu'il peut être étudié sans faire appel à la physiologie, comme un rapport constamment mobile entre un ensemble de stimuli, issus de l'entourage naturel et culturel, et un ensemble de réponses à ces stimuli, portant le sujet vers cet entourage. L'hypothèse d'une conscience enfermée dans son intériorité et gérant le comportement comme un pilote son navire doit être éliminée : elle est contraire au seul postulat cohérent d'une psychologie objective, le déterminisme. Une telle définition autorise en outre les recherches expérimentales, et favorise l'élaboration de constantes. La phénoménologie n'avait pas à se prononcer sur ce dernier point, mais elle ne pouvait de toute façon qu'applaudir à la formation d'une psychologie empirique dont les axiomes étaient conformes à ses propres définitions éidétiques. Qu'elle se soit désolidarisée du behaviourisme réflexologique vers lequel Watson glissait, rien d'étonnant parce qu'elle y voyait une rechute dans les apories de l'introspectionnisme : au lieu de rester au niveau périphérique, conformément à ses premières définitions, Watson en venait à chercher la *cause* de la réponse à un stimulus donné dans les conductions nerveuses afférentes, centrales et efférentes par lesquelles l'influx circule ; il tentait même, pour finir, de réduire toutes les conductions au schéma réflexe, intégrant ainsi sans précaution les résultats de la célèbre réflexologie de Pavlov et Bechterev, et isolant à nouveau le corps. Le réflexe devenait le concept de base de l'explication behaviouriste : les phénoménologues n'ont pas de mal à montrer que Watson ne décrit plus alors le comportement effectivement vécu, mais un substitut thématisé de ce comportement, un « modèle » physiologique abstrait, dont la valeur est au reste contestable.

4. **La psychologie de la forme.** — Avant d'examiner comment la phénoménologie utilise la physiologie pour critiquer le mécanisme watsonien, arrêtons-nous à la *Gestalttheorie,* qui de toutes les écoles psychologiques s'est avancée le plus près des thèses phénoménologiques : les psychologues de la forme sont des disciples de Husserl.

Le concept de comportement est repris et précisé dans celui de forme[1]. L'erreur de Watson, comme le

1. Voir le livre classique de P. Guillaume, *La psychologie de la forme,* Flammarion, 1937.

montre Koffka *(Principles of Gestalt Psychology)*, est d'avoir implicitement admis l'*objectivité* du comportement. Le fait qu'une conduite soit observable ne signifie pas qu'elle soit un objet dont il faille rechercher l'origine dans une connexion elle-même objective, comme celle qui la lie à l'organisation nerveuse. En réalité, les stimuli perceptifs par exemple qui conditionnent notre activité *ne sont pas eux-mêmes perçus.* Si l'on reprend l'expérience élémentaire de Müller-Lyer, où les segments égaux par construction sont perçus comme inégaux, on a un exemple signifi-

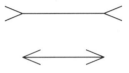

catif de la différence à faire entre ce qui est « objectif » et ce qui est « donné ». La confusion watsonienne vient de ceci que le donné est précisément un donné « objectif », parce qu'il est de l'essence de la perception de nous fournir de l'objectif. Lorsqu'on affirme que cette expérience fournit une « illusion », on ne comprend pas qu'au contraire pour n'importe quel sujet percevant, les deux segments sont effectivement inégaux et que ce n'est que par rapport au système de référence de l'expérimentateur qui a construit la figure qu'il y a illusion. Justement le monde mathématique ou mesurable dans lequel a été construite la figure n'est pas le monde perceptif, et il faut donc dissocier l'entourage perceptif et l'entourage que Koffka nomme « géographique » comme ce qui est donné immédiatement et ce qui est construit par médiation conceptuelle et instrumentale (concept d'égalité, double décimètre). La question n'est pas de savoir quel est le plus vrai de ces entourages : quand on parle d'illusion d'optique, on privilégie indûment l'entourage scientifique et construit. En fait *il ne s'agit pas de savoir si nous percevons le réel tel qu'il est* (ici par exemple l'égalité des deux segments), *puisque précisément le réel est ce que nous percevons* ; il est clair notamment que l'outillage mental et instrumental de la science prend lui-même son efficacité dans le rapport immédiat du sujet qui l'utilise avec le monde, et ce n'est rien d'autre que Husserl voulait dire lorsqu'il montrait que la vérité scientifique elle-même ne se fonde en dernière analyse que dans l' « expérience » antéprédicative du sujet de la science. Quand on pose le problème de savoir si le sujet empirique perçoit bien le réel lui-même, on s'installe en quelque sorte au-dessus de ce rapport, le philosophe contemple alors, du haut d'un prétendu savoir absolu, la relation qu'entretient la conscience avec l'objet, et en dénonce les « illusions ». Comme l'indiquait la *République,* la compréhension du fait que nous sommes dans la caverne présuppose que l'on en soit sorti. La phénoménologie, s'appuyant sur les données empiriques des recherches de la *Gestalt-psychologie,* dénonce cette *inversion de sens* : on peut comprendre le monde intelligible de Platon comme l'ensemble des constructions à partir desquelles la science explique le monde sensible ; mais il ne s'agit justement pas pour nous de partir du construit : il faut au contraire comprendre l'immédiat à partir de quoi la science élabore son système. De toute façon ce système ne doit pas être « réalisé », il n'est, comme le disait Husserl, qu'un « vêtement » du monde perceptif. Par conséquent ce que Koffka nomme l'entourage de comportement *(Umwelt)* constitue l'univers effectivement réel, parce que effectivement vécu comme réel ; et Lewin prolongeant sa pensée montre qu'il faut liquider toute interprétation substantialiste de l'entourage géographique comme de l'entourage de comportement : ce n'est qu'autant que les deux « univers » sont « réalisés » que le problème se pose de leur rapport, et notamment de leur antécédence ou même de leur causalité. Si l'on admet en revanche qu'il ne s'agit ici que de concepts opératoires, le problème tombe. Le terme de « réalité » n'implique donc absolument pas un renvoi à une substance matérielle. On le définirait plutôt par la *préexistence*.

C'est en effet un caractère essentiel de l'*Umwelt* phénoménal, comme le nomme encore Koffka, qu'il est toujours *déjà là*. En un sens tout le livre de Merleau-Ponty sur la perception consiste à dégager ce noyau de *déjà,* ce qu'il appelle parfois la « préhistoire », signifiant par là que toute tentative expérimentale objective pour dégager le comment de mon rapport au monde renvoie toujours à un comment *déjà* institué, antérieur à toute réflexion prédicative et sur lequel s'établit précisément le rapport explicite que j'entretiens avec le monde. Reprenons par exemple l'expérience de Wertheimer[1] : un sujet, placé dans une chambre de façon à ne voir celle-ci que par l'intermédiaire d'un miroir qui l'incline à 45° par rapport à la verticale, perçoit d'abord cette chambre comme oblique. Tout déplacement qui s'y produit lui paraît étrange : un homme qui marche paraît incliné, un corps qui tombe semble choir obliquement, etc. Au bout de quelques minutes (si le sujet ne cherche pas bien entendu à percevoir la pièce autrement que dans le miroir), les murs, l'homme qui se déplace, la chute du corps apparaissent « droits », verticaux, l'impression d'obliquité a disparu. Il s'agit là d'une « redistribution instantanée du haut et du bas ». On

---

1. Experimentelle Studien über das Sehen von Bewegung, cité par Merleau-Ponty, in *Phénoménologie de la perception,* 287.

peut dire en termes objectivistes que la verticale a
« pivoté » ; mais une telle expression est erronée parce
que précisément pour le sujet ce n'est pas cela qui
s'est passé. Qu'est-il donc advenu ? L'image de la
chambre dans le miroir lui apparaît d'abord comme
un spectacle étrange : l'étrangeté elle-même garantit
bien qu'il s'agit d'un spectacle, c'est-à-dire que le
sujet « n'est pas en prise avec les ustensiles que la
chambre renferme, il ne l'habite pas, il ne cohabite
pas avec l'homme qu'il voit aller et venir ». Au bout
de quelques instants, ce même sujet se sent apte à
vivre dans cette chambre, « au lieu de ses jambes et
de ses bras véritables, il se sent les jambes et les bras
qu'il faudrait avoir pour marcher et agir dans la
chambre reflétée, il habite le spectacle » (*ibid.,* 289).
Cela signifie entre autres que la direction haut-bas,
qui gère puissamment notre rapport au monde, ne
peut pas être définie à partir de l'axe de symétrie de
notre corps conçu comme organisme physiologique et
système de réactions objectives ; la preuve en est que
notre corps peut se déplacer *par rapport* au haut et au
bas, qui demeurent ainsi *pour moi* indépendants de sa
position. Est-ce à dire que la verticalité existe *en soi* ?
Ce serait non moins erroné puisque l'expérience de
Wertheimer, ou celle de Stratton sur la vision avec
inversion de l'image rétinienne[1], montrent au contraire qu'on peut bien parler de directions spatiales
objectives mais non pas *absolues,* et cette impossibilité
est inévitable dans la mesure où nous nous situons *à
l'intérieur de la perception,* de la même façon que tout
à l'heure nous ne pouvions critiquer la perception de
l'inégalité des segments qu'en sortant de la perception
elle-même. Mais la nouvelle direction spatiale n'apparaît pas comme une modification de l'ancienne ; de

---

1. Décrites et commentées par Merleau-Ponty, *ibid.,* 282 sq.

même dans l'expérience de Stratton, le sujet muni de ses lunettes inversantes finit par s'installer dans une direction haut-bas à la fois visuelle et tactile qui n'est plus saisie comme l'inverse de la verticale « ordinaire ». Au contraire la verticalité « nouvelle » est vécue comme verticalité tout court, c'est-à-dire précisément comme direction objective de l'espace.

Nous trouvons là le caractère même de la *Gestalt* : elle n'est pas *en soi*, c'est-à-dire qu'elle n'existe pas indépendamment du sujet qui se trouve insérer en elle son rapport au monde, elle n'est pas davantage *construite par moi*, dans le sens simpliste où Condillac prétendait que la rose était construite par la liaison des data des divers champs sensoriels. Elle n'est pas absolue parce que l'expérimentation prouve qu'on peut la faire varier : c'est le cas par exemple de l'expérience classique sur les oscillations de l'attention (croix de Malte noire inscrite dans un cercle dont le « fond » est blanc) ; elle n'est pas purement relative au moi, parce qu'elle nous donne un *Umwelt* objectif. Ce que l'on ne comprenait pas dans l'associationnisme, c'était précisément comment cette rose, composée au niveau cortical et de façon immanente, pouvait être saisie, ainsi qu'elle l'est effectivement, comme transcendante. Ainsi l'*Umwelt* dans lequel nous sommes installés par la perception est bien objectif, transcendant, mais il n'est pas absolu, puisqu'en un sens il est vrai de dire que cette objectivité, c'est nous qui la lui conférons *déjà* ; mais nous la lui conférons à un niveau plus profond que celui auquel il nous apparaît, à un niveau primordial sur lequel est fondé notre rapport avec le monde.

On peut donc conclure que la théorie de la forme a cherché à dévoiler une *Lebenswelt* fondamentale, en deçà de l'univers explicite et limpide dans lequel l'attitude naturelle et aussi l'attitude de la science naturelle nous font vivre. C'était là l'ambition même du dernier Husserl, et Merleau-Ponty nous paraît bien être dans la ligne la plus rigoureuse de la pensée phénoménologique quand il reprend les résultats de la *Gestalttheorie* et les interprète dans le sens que nous avons dit. Le fait même de s'attaquer au problème de la perception en est un symptôme : car la perception est ce par quoi nous sommes au monde, ou ce par quoi nous « avons » un monde, comme on voudra, et elle constitue par là le noyau de toute compréhension philosophique et psychologique de l'homme. Or la *Gestalttheorie* est elle aussi axée principalement sur la perception, et la pensée de Husserl de son côté revenait constamment, comme on sait, au problème de la constitution de la *chose.* Cette convergence n'est pas fortuite : elle s'explique par le souci de radicalité, qui en deçà du comportement lui-même pris comme relation du sujet et de son *Umwelt,* cherche à en fonder la possibilité dans un rapport encore plus originaire : il est essentiel que cette originalité ait été cherchée aussi bien par les psychologues de la forme que par les phénoménologues, non pas du côté de l'organisme physiologique, mais *au sein du rapport lui-même.* Il ne s'agit pas d'aller chercher à l'un des pôles de la relation son explication, puisque aussi bien c'est la relation elle-même qui donne leur sens aux deux pôles qu'elle unit. Nous retrouvons ainsi, inhérente au concept de *Gestalt,* la notion centrale de la phénoménologie : l'intentionalité. Mais il ne s'agit évidemment pas de l'intentionalité d'une conscience transcendantale : c'est plutôt celle d'un *Leben* comme disait Husserl, l'intentionalité d'un sujet profondément enfoui dans le monde primordial, et c'est pourquoi Merleau-Ponty en cherche la source dans le corps lui-même.

5. Le problème du corps. — N'est-ce pas retourner au physiologisme que d'identifier sujet transcendantal et corps, et ne suit-on pas de la sorte le chemin de Watson ? Non, mais il n'est pas moins vrai que certains psychologues de la forme se sont sentis tentés par le physiologisme, et ne l'ont évité qu'en se rejetant sur la position voisine du « physicisme ». Koffka en s'interrogeant sur les rapports entre le champ phénoménal et le champ géographique montre qu'ils sont l'un et l'autre fondés sur le monde physique, et que la science physique révèle dans ce monde des phénomènes de forme (par exemple la distribution du courant électrique dans un conducteur). Or si l'on cherche à interpréter les *causes* des *Gestalten* psychologiques, c'est-à-dire à expliquer *pourquoi* ce n'est pas le champ géographique qui est perçu, mais le champ phénoménal, il faut bien se référer en dernière analyse à des *Gestalten* physiologiques où réside le secret de cette « déformation ». C'est en raison des structures auxquelles est soumise notre organisation nerveuse que les choses perçues le sont selon certaines constantes : l'interposition de ces constantes ou *Gestalten* entre le monde et moi *traduit* la transformation que mon système physiologique fait subir aux données physiques. Ainsi à la physique des informations visuelles correspond une physiologie de leur captation, et à celle-ci enfin une psychologie de leur traduction. Il est donc nécessaire de poser comme hypothèse de travail le principe d'un *isomorphisme* ouvrant la voie à des recherches *explicatives* : la simple description compréhensive de l'expérience vécue doit se prolonger dans son interprétation causale. Il ne s'agit pas bien entendu d'un parallélisme désuet, on sait à présent, de la bouche même des physiologues, qu'à une localisation corticale il est impossible de faire correspondre une « représentation » ni même une « fonction » bien isolées, mais on sait en revanche que les aires corticales sont intéressées par l'influx selon certaines structures et que, comme au niveau psychologique, l'important est beaucoup moins l'incitation moléculaire que la distribution globale de l'influx, c'est-à-dire le rapport des aires entre elles, et l'équilibre ou le déséquilibre de la charge d'influx. Les neurones ne fonctionnent pas comme des unités, mais comme les parties d'un tout, et il n'est pas possible d'expliquer le comportement physiologique du tout à partir de ses « éléments ». Ces structures régulatrices qui peuvent elles-mêmes être comprises sur le modèle des régulations physiques (notion de champ de force par exemple) éclairent les structures qui règlent le niveau périphérique, c'est-à-dire psychique. Koffka, et après lui Guillaume se rapprochaient ainsi d'un behaviourisme structuraliste, et ce n'est pas par hasard que les vocabulaires des deux écoles finissaient par fusionner.

Les phénoménologues ne pouvaient se satisfaire d'une telle fusion et c'est sur ce point précis que l'accord qu'ils donnaient aux psychologues objectivistes prend fin. Si l'on passe en effet de la *compréhension* des structures à l'*explication* des structures, on abandonne ce qui faisait tout l'intérêt du concept de *Gestalt,* à savoir qu'il implique en quelque manière une intentionalité qu'il est indissociable d'un *sens.* Lorsque Koffka s'oriente vers l'explication des structures psychiques par la morphologie nerveuse, il *inverse à nouveau le véritable problème psychologique* : car il est clair que l'explication même fine des phénomènes physico-chimiques qui « accompagnent » la vision ne peut pas rendre compte du fait même de voir. Si, en physiologue, je suis pas à pas le cheminement de l' « excitation » provoquée sur la rétine jusqu'au « centre » visuel à travers la complexité des relais, puis l'émission d'influx vers les zones permettant l'accommodation, etc., mon schéma aura beau être aussi adéquat que l'on voudra aux faits, il ne pourra jamais rendre compte de ce fait fondamental, à savoir que *je vois*. « Nous avons considéré un œil mort au milieu du monde visible pour rendre compte de la visibilité de ce monde. Comment s'étonner ensuite qu'à cet objet la conscience, qui est intériorité absolue, refuse de se laisser lier ? » (Sartre, *Être et néant*, 367). En d'autres termes, il n'y a pas d'union possible entre le corps *objectif* étudié par le physiologue et *ma* conscience ; à ce niveau tout retour à la physiologie, comme il a été dit pour Watson, réintroduit les contradictions insurmontables du problème classique de l'union de l'âme et du corps. Si la psychologie doit être en première personne, elle ne peut charger la physiologie, science en troisième personne, de la solution de ses problèmes.

Il faut avouer toutefois que l'« intériorité absolue » par laquelle Sartre oppose la conscience au corps objectif n'est guère dans la ligne phénoménologique : l'intériorité nous ramène à l'introspection et nous fait retomber dans le dilemme quelque peu vieilli d'une subjectivité intransmissible et d'un objectivisme qui manque son objet. Il y a en tout cas dans la position sartrienne à l'égard de ce problème, que nous considérons comme la clé de la thèse phénoménologique en psychologie, une tendance certaine à dissocier fortement les données physiologiques de l'analyse intentionnelle elle-même : ainsi dans l'*Imaginaire*, Sartre consacre une première partie à la description éidétique pure de la conscience imageante et avouant que « la description réflexive ne nous renseigne pas directement sur la matière représentative de l'image mentale », il passe dans une seconde partie à l'examen des données expérimentales : or celles-ci se trouvent nécessiter une révision de la description phénoménologique. De même dans l'*Esquisse d'une théorie des émotions*, les tentatives de Dembo, psychologue de la forme, pour interpréter la colère par exemple en termes d'environnement, de champ phénoménal de forces, et d'équilibre des structures, sont rejetées par Sartre parce qu'elles ne satisfont pas à l'intentionnalité de la conscience constituante. Enfin dans l'*Être et le néant* le corps propre est bien dépassé comme organisme physiologique et saisi comme facticité vécue, comme objet pour autrui, mais aussi comme ce par quoi « mon dedans le plus intime » s'extériorise sous le regard d'autrui : « Mon corps est là non seulement comme le point de vue que je suis, mais encore comme un point de vue sur lequel sont pris actuellement des points de vue que je ne pourrai jamais prendre ; il m'échappe de toutes parts » (*Être et néant*, 419) ; s'il *m*'échappe c'est qu'il y a un *moi* qui n'est pas lui. Ainsi la dissociation de l'analyse intentionnelle et des données physiologiques paraît bien présupposer une dissociation, plus grave celle-là, parce qu'elle est une option philosophique et non plus seulement une erreur méthodologique, entre conscience et corps, ou plutôt entre sujet et objet. L'intégration du corps à la subjectivité ou de la subjectivité au corps ne parvient pas à se faire en profondeur chez Sartre, qui suit beaucoup plus le Husserl transcendantaliste que celui de la troisième période : c'est ce même Husserl qui rejetait les thèses de la *Gestaltpsychologie,* encore que celle-ci s'autorisât de lui, parce que selon lui la notion objective de structure ne pouvait en aucun cas servir à décrire la subjectivité transcendantale. Il est évident que la notion de « synthèse passive » est complètement absente de la psychologie et de la philosophie sartriennes, lesquelles lui reprocheraient sans doute de « mettre l'esprit dans les choses », comme Sartre l'impute par ailleurs au marxisme.

6. **Phénoménologie et physiologie.** — En revanche la psychologie phénoménologique de Merleau-Ponty accepte le débat au niveau physiologique même, comme on peut le voir dès la *Structure du comportement.* La notion même de signification est seconde, et demande à être fondée sur un contact plus originaire avec le monde : « Ce qui fait la différence entre la *Gestalt* du cercle et la signification cercle, c'est que la seconde est reconnue par un entendement qui l'engendre comme lieu des points équidistants d'un centre, la première par un sujet familier avec son monde, et capable de la saisir comme une modulation de ce monde, comme une physionomie circulaire » (*Phén. perc.,* 491). Ainsi *la signification ne constitue pas la référence psychologique ultime, elle est elle-même constituée,* et le rôle de la psychologie

de la perception par exemple est de savoir comment la chose en tant que signification est constituée. Il est clair que la chose est flux d'*Abschattungen,* comme disait Husserl, mais ce flux est unifié dans l'unité d'une perception, ajoutait-il. Or d'où vient cette unité, c'est-à-dire le sens qu'est cette chose pour moi ? D'une conscience constituante ? « Mais quand je comprends une chose, par exemple un tableau, je n'en opère pas actuellement la synthèse, je viens au-devant d'elle avec mes champs sensoriels, mon champ perceptif, et finalement avec une typique de tout l'être possible, un montage universel à l'égard du monde... Le sujet ne [doit] plus être compris comme activité synthétique, mais comme ek-stase, et toute opération active de signification ou de *Sinngebung* apparaît comme dérivée et secondaire par rapport à cette prégnance de la signification dans les signes qui pourrait définir le monde » (*Phén. perc.,* 490). La *Phénoménologie de la perception* est une fine et sérieuse description de ce « montage universel à l'égard du monde ». La méthode utilisée est très différente de celle de Sartre : elle est une reprise point par point des données expérimentales, et surtout des données cliniques de la pathologie nerveuse et mentale. Cette méthode ne fait, de l'aveu même de l'auteur, que prolonger celle que Goldstein utilise dans la *Structure de l'organisme.*

Soit le cas de l'*aphasie*[1]. Elle est classiquement définie par la carence totale ou partielle de telle fonction du langage : carence de la réception du langage parlé ou écrit (surdité ou cécité verbales), carence de l'action de parler ou d'écrire, cette carence n'étant le

---

1. Goldstein, Analyse de l'aphasie et essence du langage, *Journal de psychologie,* 1933. Pour les rapports de la psychopathologie et de la phénoménologie, voir les travaux de Binswanger, Jaspers et Minkowski, cités dans la *Phéno. perc.,* bibliographie.

fait d'aucun trouble récepteur ou moteur périphérique. On a essayé de lier ces quatre fonctions respectivement à des centres corticaux, et d'*expliquer* ce comportement psychopathologique sur la base de la physiologie nerveuse centrale. Goldstein montre que ces essais sont nécessairement vains, parce qu'ils admettent sans critique la quadripartition du langage à titre d'hypothèse de travail : or ces catégories (parler, écrire, etc.) sont celles de l'usage courant et n'ont aucune valeur intrinsèque. Le médecin, quand il étudie le syndrome dans la perspective de ces catégories, ne se laisse pas guider par les *phénomènes eux-mêmes,* mais il plaque sur les symptômes une anatomie préjugée et calquée sur l'*anatomie psychologique* que le sens commun glisse sous le comportement. Il fait de la physiologie en fonction d'une conception psychologique, et celle-ci n'est pas même élaborée sérieusement. En réalité si l'on poursuit l'examen des symptômes de l'aphasie, on constate que l'aphasique n'est pas un aphasique pur et simple. Il sait par exemple nommer la couleur rouge par le truchement d'une fraise, bien qu'il ne sache pas nommer les couleurs en général. En bref il sait faire usage d'un langage tout fait, celui qui nous fait passer sans médiation et sans méditation d'une « idée » à l'autre ; mais quand il faut pour parler utiliser les catégories médiatrices, l'aphasique est vraiment aphasique. Ce n'est donc pas le complexe sonore que constitue le mot qui fait défaut dans l'aphasie, c'est l'usage du niveau catégorial ; on peut alors la définir comme dégradation du langage et chute au niveau automatique. De même le malade ne comprend ni ne retient une histoire, même courte ; il ne saisit que sa situation actuelle, et toute situation imaginaire lui est donnée sans signification. Ainsi Merleau-Ponty, reprenant les analyses de Gelb et Goldstein, distingue pour conclure une *parole parlante* et une *parole parlée* : à l'aphasique manque la productivité du langage.

Nous ne cherchons pas ici une définition du langage, mais l'expression d'une nouvelle méthode : à Stein déclarant qu'une physiologie sérieuse doit se faire en termes objectifs, par des mesures de chronaxie, etc., Goldstein répondait que cette investigation physico-chimique n'est pas moins *théorique* que l'approche psychologique qui est la sienne ; de toute façon il s'agit de reconstituer la « dynamique du comportement » et comme de toute façon il y a reconstitution, et non coïncidence pure et simple avec le comportement étudié, toutes les approches convergentes doivent être utilisées. On ne trouve donc pas ici une condamnation des méthodes causales, il faut « suivre dans son développement scientifique l'explication causale pour en préciser le sens et la mettre à sa vraie place dans l'ensemble de la vérité. C'est pourquoi on ne trouvera ici aucune *réfutation,* mais un effort pour comprendre les difficultés propres de la pensée causale » (*Phén. perc.,* 13, note). Les attaques contre l'objectivisme que l'on trouve par exemple dans le livre de Jeanson (*La phénoménologie,* Téqui, 1951) et la réduction de la phénoménologie à une « méthode de subjectivation » (*ibid.,* p. 113) nous semblent démenties par l'inspiration de toute la pensée phénoménologique, à commencer par celle de Husserl, qui vise le *dépassement* de l'alternative objectif-subjectif : en psychologie ce dépassement s'obtient comme méthode par la reprise descriptive et compréhensive des données causales, et comme « doctrine » par le concept de pré-objectif *(Lebenswelt)*[1]. On notera aussi l'abandon des procédés inductifs tels

1. L'usage simultané des données expérimentales et de l'analyse intentionnelle ne signifie donc pas éclectisme, et pas davantage commodité de méthode.

qu'ils sont traditionnellement établis par la logique empiriste : nous reviendrons sur ce point essentiel à propos de la sociologie ; mais ici encore la méthode préconisée et utilisée par Goldstein satisfait totalement aux *requisit* de la phénoménologie.

7. **Phénoménologie et psychanalyse.** — Les rapports de la phénoménologie et de la psychanalyse sont ambigus. Sartre, dans les pages de *L'être et le néant* où il définit sa psychanalyse existentielle (p. 655-663), fait à la psychanalyse freudienne essentiellement deux critiques : elle est *objectiviste* et *causaliste,* elle utilise le concept incompréhensible d'*inconscient. Objectiviste,* Freud postule, à la base de l'événement traumatique et donc de toute l'histoire des névrosés, une « nature », la *libido ; causaliste,* il admet une action mécanique du milieu social sur le sujet, à partir de laquelle il élabore par exemple une symbolique *générale* permettant de déceler le sens latent d'un rêve sous son sens manifeste, et cela indépendamment du sujet (de l' « ensemble signifiant », dit Sartre). Enfin comment le sens d'une névrose, s'il est *inconscient,* peut-il être *reconnu* au moment où le malade aidé par l'analyste comprend pourquoi il est malade ? Plus radicalement même, comment quelque chose d'inconscient pourrait-il avoir un sens puisque la source de tout sens est la conscience ? En réalité il y a une conscience des tendances profondes, « mieux ces tendances ne se distinguent pas de la conscience » (662). Les notions psychanalytiques de résistance, de refoulement, etc., impliquent que le ça n'est pas vraiment une chose, une nature *(libido),* mais le sujet lui-même dans sa totalité. La conscience discerne la tendance à refouler de la tendance neutre, elle veut donc n'être pas conscience de celle-là, elle est mauvaise foi : un « art de former des concepts contradictoires, c'est-à-dire qui unissent en eux une idée et la négation de cette idée » (95).

Si Merleau-Ponty ne reprend pas cette dernière critique dans la *Phénoménologie de la perception* (le corps comme être sexué, p. 180-198), ce n'est pas par hasard. On aura remarqué que la description sartrienne de la mauvaise foi fait intervenir une conscience *conceptuelle* : avec Sartre nous demeurons toujours au niveau d'une conscience transcendantale pure. Merleau-Ponty au contraire cherche à déceler les synthèses passives où la conscience puise ses significations. « La psychanalyse existentielle, écrit-il, ne doit pas servir de prétexte à une restauration du spiritualisme. » Et il reprend plus loin (436) : « L'idée d'une conscience qui serait transparente pour elle-même et dont l'existence se ramènerait à la conscience qu'elle a d'exister n'est pas si différente de la notion d'inconscient : c'est, des deux côtés, la même illusion rétrospective, on introduit en moi à titre d'objet explicite tout ce que je pourrai dans la suite apprendre de moi-même. »

Le dilemme du « ça » et de la conscience claire est donc un faux dilemme. Il n'y a pas d'inconscient, puisque la conscience est toujours présente à ce dont elle est consciente ; le rêve n'est pas l'imagerie d'un « ça » qui développerait, à la faveur du sommeil de ma conscience, son propre drame travesti. C'est bien le même moi qui rêve et qui se souvient avoir rêvé. Le rêve est-il alors une licence que j'accorde à mes pulsions, en toute mauvaise foi, si je sais ce que je rêve ? Pas davantage. Quand je rêve, je m'installe dans la sexualité, « la sexualité est l'atmosphère générale du rêve », de sorte que la signification sexuelle du rêve ne peut pas être « thématisée » faute de référence non sexuelle à laquelle je puisse la rattacher : le symbolisme du rêve n'est symbolisme que pour l'homme éveillé, celui-ci saisit l'incohérence de son récit de rêve et cherche à le faire symboliser avec un sens latent ; mais quand il rêvait, la situation onirique était immédiatement significative, non incohérente, mais pas davantage identifiée comme situation sexuelle. Dire avec Freud que la « logique » du rêve obéit au principe de plaisir, c'est dire que, désancrée du réel, la conscience vit le sexuel sans le situer, sans pouvoir le mettre à distance ni l'identifier – de même que « pour l'amoureux qui le vit, l'amour n'a pas de nom, ce n'est pas une chose que l'on puisse désigner, ce n'est pas le même amour dont parlent les livres et les journaux, c'est une signification existentielle » (437). Ce que Freud appelait inconscient, c'est en définitive une conscience qui ne parvient pas à se saisir elle-même comme spécifiée, je suis « circonvenu » dans une situation et ne me comprends comme tel qu'autant que j'en suis sorti, qu'autant que je suis dans une autre situation. Cette transplantation de la conscience permet seule en particulier de comprendre la cure psychanalytique, car c'est en prenant appui sur la situation présente, et notamment sur mon rapport vécu avec l'analyste (transfert) que je puis identifier la situation traumatique passée, lui donner un nom et finalement m'en délivrer.

Cette révision de la notion d'inconscient suppose évidemment qu'on abandonne une conception déterministe du comportement, et en particulier du sexuel. Il est impossible d'isoler au sein du sujet des pulsions sexuelles qui habiteraient et pousseraient ses conduites comme des causes. Et Freud lui-même en généralisant le sexuel bien au-delà du génital savait qu'il n'est pas possible de faire dans un comportement donné la part des motivations « sexuelles » et celle des motivations « non sexuelles ». Le sexuel n'existe pas en soi, il est un sens que je donne à ma vie, et « si l'histoire sexuelle d'un homme donne la clé de sa vie, c'est parce que dans la sexualité de l'homme se projette sa manière d'être à l'égard du monde, c'est-à-dire à l'égard du temps et à l'égard des autres hommes » (185). Il n'y a donc pas causation du comportement par le sexuel, mais « osmose » entre la sexualité et l'existence, parce que la sexualité est constamment présente à la vie humaine comme une « atmosphère ambiguë » (197)[1].

---

1. Dans la Préface que Merleau-Ponty écrivit pour l'ouvrage du Dr Hesnard, *L'œuvre de Freud,* Payot, 1960, on trouvera une nouvelle thématisation de la « consonance » entre psychanalyse et phénoménologie : l'idée directrice en est que la phénoménologie n'est pas une « philosophie de la conscience » claire, mais la mise à jour continue et impossible d'un « Être onirique, par définition caché » ; cependant que, de son côté, la psychanalyse cesse, grâce aux travaux de Jacques Lacan notamment, d'être incomprise en qualité de psychologie de l'inconscient : elle tente d'articuler « cet *intemporel*, cet *indestructible* en nous qui est, dit Freud, l'inconscient même ».

Chapitre III

PHÉNOMÉNOLOGIE
ET SOCIOLOGIE

1. **L'explication.** — Avant d'aborder les problèmes spécifi-
quement sociologiques, nous pouvons tirer déjà des remarques
précédentes une conclusion essentielle à la méthode dans les
sciences humaines. La science expérimentale en général cherche
à établir des relations constantes entre des phénomènes. Afin
d'établir que la relation visée est constante, il est indispensable
de multiplier les observations et les expérimentations où les termes à mettre en relation apparaissent ou peuvent apparaître.
Ainsi se trouvent légitimés les procédés traditionnels décrits par
Claude Bernard et Mill. Lorsque la corrélation entre les deux
termes est attestée par une fréquence satisfaisante, on admet
que les deux termes sont liés de façon constante *ceteris paribus,*
c'est-à-dire si certaines conditions sont réunies ; la recherche
s'étend donc à une constellation de facteurs au sein de laquelle
la constante peut être vérifiée. L'épistémologie se trouve ainsi
conduite à abandonner la catégorie de cause et l'idée correspondante d'enchaînement unilinéaire ; elle les remplace par le
concept plus souple d'ensemble de conditions ou de conditionnement et par l'idée d'un déterminisme en réseau. Mais cette
évolution n'altère pas l'objectif de la science expérimentale :
l'explication. La loi, ou relation constante entre un ensemble de
conditions et un effet, n'est pas par elle-même explicative, puisqu'elle ne répond qu'à la question comment et non à la question pourquoi ; la théorie, élaborée sur l'infrastructure d'un
ensemble de lois concernant le même secteur de la nature, vise
à en dégager la *raison* commune. C'est seulement alors que
l'esprit peut être satisfait, parce qu'il détient l'explication de
tous les phénomènes subsumés dans la théorie par le truchement des lois. La démarche explicative passerait donc nécessairement par une induction : celle-ci, s'il faut en croire la méthodologie empiriste, consisterait à conclure de l'observation des

faits à une relation constante de succession ou de simultanéité entre certains de ceux-ci. La constante relative à l'observation serait ensuite universalisée en constante absolue, jusqu'à ce que l'observation la démente éventuellement.

Appliquée aux sciences humaines, cette méthode de recherche des conditions ne présente à première vue aucune difficulté particulière. On peut même dire qu'elle offre des garanties d'objectivité. Ainsi Durkheim proposant de traiter les faits sociaux *comme* des choses essayait d'élaborer une méthode explicative en sociologie : il s'agissait explicitement, dans *Les règles de la méthode sociologique,* d'établir des relations constantes entre l' « institution » étudiée et le « milieu social interne » lui-même défini en termes de physique (densité, volume). Durkheim se montrait ainsi fidèle au programme comtien de la « physique sociale », et il conduisait la sociologie vers l'usage prédominant de la statistique comparée. Il s'agissait en effet de mettre une institution donnée en relation avec divers secteurs du même milieu social ou avec divers milieux sociaux et de tirer par l'étude détaillée des corrélations ainsi établies, des constantes pour le conditionnement de cette institution. On pouvait, en universalisant jusqu'à nouvel ordre, écrire alors des lois de structure sociale. Sans doute ne peut-on réduire Durkheim à cette sociologie statique ; il a lui-même fait un usage de l'explication génétique ou historique dans son étude sur la famille par exemple, et il faisait, dans la *Revue de métaphysique et de morale* de 1937, une mise au point, aux termes de laquelle il distinguait le problème de la genèse des institutions (« quelles sont les causes qui les ont suscitées ») et le problème de leur fonctionnement (« quelles sont les fins utiles qu'elles remplissent, la manière dont elles fonctionnent dans la société, c'est-à-dire dont elles sont appliquées par les individus »). La sociologie entreprend cette double recherche, s'aidant pour le second point de la statistique, et pour le premier de l'histoire et de l'ethnographie comparée[1]. Il n'en reste pas moins que la tâche sociologique demeure exclusivement explicative, à la fois longitudinalement (genèse) et transversalement (milieu). Le déterminisme est en réseau, mais il s'agit bien toujours de déterminisme.

On trouverait une attitude méthodologique sensiblement parallèle en psychologie chez les objectivistes[2].

1. Voir G. Davy, L'explication sociologique et le recours à l'histoire d'après Comte, Mill et Durkheim, *RMM,* 1949.
2. Voir par exemple Guillaume, *Introduction à la psychologie,* Vrin, 1946.

2. **La compréhension.** — Contre cette description de la science, Husserl invoquait, dans le même sens que des rationalistes comme Brunschwicg, l'insuffisance essentielle de l'induction. En réalité l'hypothèse de constance que l'empirisme croit *trouver* à la fin des observations est *construite* par l'esprit, sur la base éventuellement d'une seule observation. D'un grand nombre de « cas » on ne peut induire une loi ; celle-ci est une « fiction idéalisante », fabriquée par le physicien et qui tire son pouvoir explicatif non pas du nombre des faits sur lesquels elle a été bâtie, mais de la clarté qu'elle porte dans les faits. Bien entendu, cette fiction sera mise par la suite à l'épreuve de l'expérimentation, mais il demeure que l'induction et le traitement statistique ne peuvent à eux seuls résumer tout le processus scientifique : celui-ci exprime un travail créateur de l'esprit. Dans la *Krisis,* Husserl soulignait que Galilée déjà avait établi une *éidétique* de la chose physique et qu'on ne peut obtenir la loi de la chute des corps en induisant l'universel à partir du divers de l'expérience, mais seulement par le « regard » constituant l'essence de corps matériel *(Wesenschau).* Il n'y a pas de science qui ne commence par établir un réseau d'essences obtenues par variations imaginaires et confirmées par variations réelles (expérimentation). Après s'être opposé à l'induction des sciences empiriques, Husserl finissait par faire de la phénoménologie éidétique un moment de la connaissance naturelle. C'est donc une falsification de la méthode physique, et non cette méthode même, que les objectivistes qui sont en réalité, des scientistes essaient de glisser dans les sciences humaines. Il faut dissocier une certaine logique de la science, mise à l'honneur par l'empirisme et le positivisme, et la pratique scientifique effectivement vécue, qu'il convient d'abord de décrire rigoureusement.

L'attitude durkheimienne par exemple est pénétrée des préjugés comtiens : car si l'on veut étudier l'existence d'une institution dans un groupe donné, sa genèse historique et sa fonction actuelle dans le milieu ne l'expliquent pas à elles seules. Il est indispensable de définir *ce qu'*est cette institution. Par exemple, dans les *Formes élémentaires de la vie religieuse,* Durkheim assimile vie religieuse et expérience du sacré ; il montre que le sacré lui-même a son origine dans le totémisme, et que le totémisme est une sublimation du social. Mais l'expérience du sacré constitue-t-elle bien l'essence de la vie religieuse ? Ne peut-on concevoir (par variations imaginaires) une religion qui ne s'appuierait pas sur cette pratique du sacré ? Et enfin que signifie le sacré lui-même ? La constitution de l'essence doit corriger constamment l'observation, faute de quoi les résultats de celle-ci sont aveugles et dénués de valeur *scientifique.*

D'autre part le souci objectiviste dans les sciences humaines masque inévitablement au savant la nature de ce qu'il étudie ; c'est en somme un préjugé, et ce n'est pas par hasard que Merleau-Ponty, dans le *Cours* déjà cité, dénonce pour finir chez Guillaume l'existence de présuppositions « philosophiques ». Il faut aller « aux choses mêmes », les décrire correctement et élaborer sur cette description une interprétation de leur *sens* ; c'est la seule objectivité véritable. Traiter l'homme comme une chose, que ce soit en psychologie ou en sociologie, c'est affirmer *a priori* que la prétendue méthode naturelle vaut pareillement pour les phénomènes physiques et les phénomènes humains. Or nous ne pouvons en préjuger. Si, ainsi que nous y invitait tout à l'heure Husserl, nous cherchons à décrire les procédés des sciences humaines, nous découvrons au cœur même de l'interrogation que le psychologue ou le sociologue lance vers le psychique ou le social, la thèse d'une modalité absolument originale : la signification du comportement étudié, individuel ou collectif. Cette *position du sens* est généralement omise dans la description des méthodes, surtout s'il s'agit des méthodes objectivistes ; elle consiste à admettre immédiatement que ce comportement *veut dire* quelque chose ou encore exprime une intentionalité. Ce qui distingue par exemple l'objet naturel et l'objet culturel (un caillou et un stylo), c'est qu'en celui-ci est cristallisée une intention utilitaire, tandis que celui-là n'exprime rien. Bien entendu le cas de l'objet culturel est relativement privilégié, parce qu'il est précisément une configuration matérielle *destinée explicitement à* satisfaire un besoin : il est le résultat du travail, c'est-à-dire de l'imposition d'une forme préméditée à une matière. Mais quand nous nous trouvons devant un silex de la Pierre taillée, ou devant un autel phénicien, nous ne pénétrons pas d'emblée la destination de ces objets, nous nous interrogeons sur cette destination ; nous continuons toutefois à poser qu'il y a une destination, qu'il y a un sens de ces objets. Nous comprenons qu'il y a de la signification dans les phénomènes humains, même et peut-être surtout si nous ne comprenons pas immédiatement quelle est cette signification. Ce que nous avons dit de l'aphasie précédemment impliquait une telle thèse : il s'agissait en somme de montrer, à partir de l'observation correctement décrite, que le comportement aphasique est bien un comportement, c'est-à-dire qu'il recèle un sens ; et le problème psychopathologique n'était plus alors d'établir seulement des relations de conditions caractérisant le syndrome aphasique, mais de ressaisir l'ensemble de ces conditions dans l'unité du comportement aphasique, en *comprenant* la signification profonde et, si l'on peut dire, anté-conscientielle de ce comportement. Nous n'abordons jamais un phénomène humain, c'est-à-dire un comportement, sans lancer vers lui l'interrogation : que signifie-t-il ? Et la véritable méthode des sciences humaines n'est pas de réduire ce comportement, avec le sens qu'il porte, à ses conditions, et de l'y dissoudre, mais de répondre finalement à cette interrogation, en utilisant les données de conditionnement explicitées par les méthodes objectives. Expliquer vraiment, dans les sciences humaines, c'est faire comprendre.

L'objectivisme simule qu'une saisie purement « extérieure » du comportement individuel ou collectif est non seulement possible, mais souhaitable. Il convient, souligne-t-il, de se méfier des interprétations spontanées dont nous investissons le comportement observé. Et il est clair que la compréhension immédiate que nous avons de telle jeune fille retirée comme on dit dans son coin au bal ou au jeu ne présente pas de garantie de vérité. Ces types de compréhension « évidente » et spontanée résultent en réalité des sédimentations complexes de notre histoire individuelle et de l'histoire de notre culture ; en d'autres termes, il faut alors faire la sociologie et la psychologie de l'observateur pour comprendre sa compréhension. Mais ce n'est pas une raison pour liquider du même coup toute compréhension, et pour s'aligner sur la revendication durkheimienne : elle efface le problème, elle ne le résout pas. Entre le subjectivisme simpliste qui équivaut à ruiner toute science sociale ou psychologique et l'objectivisme brutal dont les lois manquent finalement leur objet, il y a place pour une *reprise* des données explicatives qui chercherait à en exprimer l'unité de signification latente. Freud l'avait compris. Le noyau de sens ne s'atteint pas d'emblée et c'est justement ce que soulignaient les phénoménologues quand, d'accord avec l'objectivisme, ils critiquaient l'introspection. Mais lorsque J. Monnerot par exemple, faisant profession de phénoménologie, écrit que « la compréhension est évidence immédiate, l'explication justification après coup de la présence d'un phénomène par l'existence supposée d'autres phénomènes » (*Les faits sociaux ne sont pas des choses,* p. 43), il compare évidemment deux attitudes incomparables puisque la compréhension, en tant qu'elle est saisie évidente et immédiate du sens du geste par lequel le boucher jette sa viande sur la balance, ne peut guère servir la sociologie : elle la desservirait plutôt, comme le sens manifeste d'un rêve masque à l'analyste autant qu'il le traduit son sens latent. Une sociologie compréhensive ne peut user de cette compréhension-là, et tout le livre de Monnerot est un vaste contresens sur le mot « comprendre », comme cela apparaît quand il s'agit de préciser de quoi est faite cette « sociologie compréhensive » : on pourfend Durkheim (non sans naïveté du reste), mais par quoi le remplace-t-on ? Nous avons déjà eu l'occasion d'observer qu'un certain subjectivisme est la maladie infantile de la phénoménologie. Sans doute y a-t-il une sociologie à faire de cette maladie.

3. **Le social originaire, fondement de la compréhension.** — Ce détour méthodologique nous conduit au centre même du problème sociologique proprement dit, du moins tel que le pose la phénoménologie. Ce problème avant d'être un problème de méthode est un problème d'ontologie : seule une définition eidétique adéquate du social permet une approche expérimentale féconde. Cela ne signifie pas, comme nous l'avons déjà noté à d'autres propos, qu'il soit bon d'élaborer *a priori* une « théorie » du social, ni de forcer les données scientifiques jusqu'à en exprimer des conclusions concordant avec l'éidétique. En réalité

cette éidétique indispensable doit se construire au cours de l'exploration des faits eux-mêmes, et aussi à sa suite. Elle est une critique mais, comme disait Husserl, toute critique révèle déjà son autre face, sa positivité.

Or la compréhension, foncière à tout savoir anthropologique et dont nous venons de parler, exprime mon rapport fondamental avec autrui. En d'autres termes tout anthropologue projette l'existence d'un sens de ce qu'il étudie. Ce sens ne se réduit pas à une fonction d'utilité par exemple, il ne peut être correctement identifié que s'il est référé à l'homme ou aux hommes étudiés ; il y a donc dans toute science humaine le « postulat » implicite de la compréhensibilité de l'homme par l'homme ; par conséquent le rapport de l'observateur à l'observé, dans les sciences humaines, est un cas du rapport de l'homme à l'homme, de moi à toi. Donc toute anthropologie, et notamment la sociologie, contient en elle-même une socialité originaire, si l'on veut bien entendre par là ce rapport par lequel les sujets sont donnés les uns aux autres. Cette socialité originaire, en tant qu'elle est le sol de tout savoir anthropologique, nécessite une explication, dont les résultats pourront ensuite être repris afin d'éclairer la science sociale elle-même. « Le social est déjà là quand nous le connaissons ou le jugeons... Avant la prise de conscience, le social existe sourdement et comme sollicitation » (*Phén. perc.,* 415). Rappelons l'élaboration théorique du problème d'autrui, déjà esquissée à propos de Husserl[1] : comment se fait-il que je ne perçoive pas autrui comme un objet, mais comme un *alter ego* ? L'hypothèse classique du raisonnement analogique présuppose ce qu'elle devait expliquer comme le

1. Voir ci-dessus, p. 31 sq.

montre Scheler *(Essence et forme de la sympathie),* disciple de Husserl. Car la projection sur les conduites d'autrui des vécus correspondant pour moi aux mêmes conduites implique d'une part qu'autrui soit saisi comme *ego,* c'est-à-dire comme sujet apte à éprouver des vécus pour soi, et d'autre part que moi-même je me saisisse comme vu « du dehors », c'est-à-dire comme un autre pour un *alter ego,* puisque ces « conduites », auxquelles j'assimile celles d'autrui que j'observe, je ne puis comme sujet que les vivre, et non les appréhender de l'extérieur. Il existe donc une condition fondamentale pour que la compréhension d'autrui soit possible : c'est que je ne sois pas moi-même pour moi une pure transparence. Ce point a été établi à propos du corps[1]. Si en effet on s'obstine à poser le rapport avec autrui au niveau des consciences transcendantales, il est clair que seul un jeu de destitution ou de dégradation réciproque peut s'instituer entre ces consciences constituantes. L'analyse sartrienne du pour-autrui, qui est faite essentiellement en termes de conscience, s'arrête inévitablement à ce que Merleau-Ponty nomme « le ridicule d'un solipsisme à plusieurs ». « L'autre, écrit Sartre, comme regard n'est que cela, ma transcendance transcendée » *(Être et néant,* 321). La présence de l'autre se traduit par ma honte, ma crainte, ma fierté, et mes rapports avec autrui ne peuvent être que du mode destitutif : amour, langage, masochisme, indifférence, désir, haine, sadisme. Mais la correction que Merleau-Ponty apporte à cette interprétation nous réoriente dans la problématique d'autrui : « En réalité le regard d'autrui ne nous transforme en objet que si l'un et l'autre nous nous retirons dans le fond de notre nature pensante, si nous nous faisons l'un et l'autre

1. Voir ci-dessus, p. 61 sq.

regard inhumain, si chacun sent ses actions non pas reprises et comprises, mais observées comme celles d'un insecte » (*Phén. perc.*, 414). Il faut descendre au-dessous de la *pensée* d'autrui et retrouver la possibilité d'un rapport originaire de compréhension, faute de quoi le sentiment de solitude et le concept de solipsisme eux-mêmes n'auraient aucun sens pour nous. On doit par conséquent découvrir antérieurement à toute séparation une coexistence, du moi et d'autrui dans un « monde » intersubjectif, et sur le sol de laquelle le social lui-même prend son sens.

C'est précisément ce que nous apprend la psychologie de l'enfant qui est déjà une sociologie. A partir de six mois l'expérience du corps propre de l'enfant se développe ; Wallon note en conclusion de ses observations qu'il est impossible de distinguer chez l'enfant une connaissance intéroceptive (cœnesthésique) de son corps et une connaissance « du dehors » (par exemple par image dans un miroir, ou image spéculaire) ; le visuel et l'intéroceptif sont indistincts, il y a un « transitivisme » par lequel l'enfant s'identifie avec l'image du miroir : l'enfant croit à la fois qu'il est là où il se sent et là où il se voit. De même quand il s'agit du corps d'autrui, l'enfant s'identifie avec autrui : l'*ego* et l'*alter* sont indistincts ; Wallon caractérise cette période par l'expression « sociabilité incontinente », et Merleau-Ponty, le reprenant et le prolongeant[1], par celle de sociabilité syncrétique. Cette indistinction, cette expérience d'un intermonde où il n'y a pas de perspectives égologiques, s'exprime dans le langage lui-même, bien après que la réduction de l'image spéculaire à une « image » sans réalité a été opérée. « Les premiers mots-phrases de l'enfant visent des conduites et des actions appartenant aussi

1. Les relations avec autrui chez l'enfant, cours 1950-1951, *Bulletin de psychologie,* novembre 1964.

bien à autrui qu'à lui-même » *(ibid.)*. La saisie de sa propre subjectivité en tant que perspective absolument originale ne vient que plus tardivement, et en tout cas le je n'est employé que lorsque l'enfant a compris « que le tu et le toi peuvent aussi bien s'adresser à lui-même qu'à autrui », et que chacun peut dire je (observation de Guillaume). Lors de la crise des 3 ans, Wallon note un certain nombre de comportements caractérisant le dépassement du « transitivisme » : volonté d'agir « tout seul », inhibition sous le regard d'autrui, égocentrisme, duplicité, attitudes de transaction (notamment dans le don et le rapt des jouets). Wallon montre que toutefois le transitivisme n'est pas supprimé, il se prolonge en deçà de cette mise à distance d'autrui, et c'est pourquoi Merleau-Ponty s'oppose à la thèse de Piaget selon laquelle vers 12 ans l'enfant effectuerait le *cogito* « et rejoindrait les vérités du rationalisme ». « Il faut bien que les enfants aient en quelque façon raison contre les adultes ou contre Piaget, et que les pensées barbares du premier âge demeurent comme un acquis indispensable sous celles de l'âge adulte, s'il doit y avoir pour l'adulte un monde unique et intersubjectif » (*Phén. perc.,* 488). Merleau-Ponty montre qu'en effet l'amour par exemple constitue une expression de cet état d'indivision avec autrui, et que le transitivisme n'est pas chez l'adulte aboli, au moins dans l'ordre des sentiments. On voit la différence avec les conclusions sartriennes. « L'essence des rapports entre consciences n'est pas le *Mitsein,* c'est le conflit », écrivait l'auteur de *L'être et le néant* (502). Une analyse phénoménologique semble montrer au contraire, sur la base des sciences humaines, que l'ambiguïté du rapport avec autrui, telle que nous l'avons posée à titre de problème théorique, prend son *sens* dans une *genèse* d'autrui pour moi : *les* sens d'autrui pour moi sont sédimentés dans une histoire qui n'est pas d'abord la mienne, mais une histoire à plusieurs, une transitivité, et où mon point de vue se dégage lentement (à travers le conflit, bien sûr) de l'intermonde originaire. S'il y a du social pour moi, c'est parce que je suis originairement du social, et les significations que je projette inévitablement sur les conduites d'autrui, si je sais que je les comprends ou que j'ai à les comprendre, c'est qu'autrui et moi avons été et demeurons compris dans un réseau unique de conduites et dans un flux commun d'intentionalités[1].

4. **Phénoménologie et sociologie.** — Il ne saurait donc être question de définir le social comme objet. « Il est aussi faux de nous placer dans la société comme un objet au milieu d'autres objets, que de mettre la société en nous comme objet de pensée, et des deux côtés l'erreur consiste à traiter le social comme un objet » (*ibid.,* 415). Monnerot annonce à grand bruit qu' « il n'y a pas de société » ; c'est vrai dans la mesure où elle n'a pas une réalité visible au même titre que l'individu, et l'idée à tout prendre n'est pas nouvelle ; mais de là à dissoudre les faits sociaux dans les comportements individuels, et à verser du sociologisme durkheimien dans la « psychologie sociale » pure et simple, il n'y a qu'un pas, que beaucoup de sociologues modernes franchissent, apparemment peu conscients de sa gravité ; car le

---

1. Il est clair que l'enquête au niveau de la psychologie de l'enfant et la reprise par Merleau-Ponty de ses résultats vont dans le même sens que la réflexion heideggérienne sur le *Mitsein,* critiquée par Sartre (*Être et néant,* 303 sq.). Mais on peut faire sienne la critique par laquelle Sartre qualifie d'affirmation sans fondement la thèse heideggérienne, ajoutant que « c'est précisément cette coexistence qu'il faudrait expliquer ». Par la reprise des données expérimentales, le *Mitsein* est sinon *expliqué,* ce qui au reste n'est pas pensable en anthropologie, au moins *explicité,* dévoilé et développé dans son sens originaire. On aura été sensible au fait que cette originalité était à la fois génétique et ontique.

social n'est plus alors réduit qu'à une représentation individuelle, il est un social pour moi et selon moi, et l'enquête sociologique porte non pas sur les modalités réelles du *Mitsein,* mais sur ce que pensent de ces modalités les individualités sondées. On trouverait mille exemples de ce glissement dans la sociologie contemporaine ; retenons celui des enquêtes de Warner ou de Centers sur les classes sociales[1]. Ainsi les problèmes sociologiques sont-ils escamotés ; c'est en ce sens que penchent les remarques de Monnerot, dont on ne saurait trop mettre en question la solidité théorique. Quelle sociologie propose donc la phénoménologie ?

Encore une fois elle ne propose pas *une* sociologie[2]. Elle propose une reprise, une réinterprétation critique et constructive des recherches sociologiques. Il n'y a pas une sociologie phénoménologique, il y a une philosophie qui « ne parle, comme la sociologie, que du monde, des hommes et de l'esprit » (Merleau-Ponty, Le philosophe et la sociologie, *Signes,* p. 138) ; mais cette philosophie se distingue de toute sociologie parce qu'elle n'objective pas son objet, mais qu'elle vise à le *comprendre* au niveau de ce transitivisme que la science de l'enfant a révélé. Sans doute, lorsqu'il s'agit des sociétés archaïques, cette opération n'est-elle pas facile : l'analyse intentionnelle nous révèle ici

1. Voir une bonne étude critique de A. Touraine, Classe sociale et statut socio-économique, *Cahiers internationaux de sociologie,* XI, 1951.
2. On peut évidemment parler d'une « école phénoménologique » en sociologie ; Scheler, Vierkandt, Litt, Schütz, Greiger en seraient les représentants (cf. par exemple Cuvillier, *Manuel de sociologie,* I, p. 49 sq., 162 sq. et bibliographies). En réalité toutes les attaques lancées contre ces tentatives, plus « philosophiques » que sociologiques, sont justifiées pour le fond. Lorsque Mauss demandait que la sociologie générale n'intervînt qu'en conclusion des recherches concrètes, il allait dans le sens de la phénoménologie contemporaine, comme nous allons le voir. En tout état de cause, la recherche d'une socialité *originaire* n'entraîne pas que la définition de la socialité soit *antérieure* à l'examen de ses formes concrètes.

non plus quelque chose comme notre monde, mais un monde dont les structures profondes nous échappent. On ne saurait cependant affirmer leur incompréhensibilité, et Lévy-Bruhl lui-même qui l'avait d'abord fait y renonçait dans ses *Carnets* posthumes. Quant à Husserl, dès 1935, il écrivait à ce même Lévy-Bruhl, à propos de la *Mythologie primitive* : « C'est une tâche possible et de haute importance, c'est une grande tâche de nous projeter dans une humanité fermée sur sa socialité vivante et traditionnelle, et de la comprendre en tant que, dans sa vie sociale totale et à partir d'elle, cette humanité possède le monde, qui n'est pas pour elle une "représentation du monde", mais le monde qui pour elle est réel » (cité par Merleau-Ponty, *ibid.,* p. 135). De même on doit suivre la direction de l'interprétation que Claude Lefort[1] donne du célèbre travail de Mauss sur *Le don*[2], à l'encontre de la lecture structuraliste que Lévi-Strauss dans son Introduction entend en donner : car il est certain que Mauss allait beaucoup plus dans le sens d'une compréhension du don que dans celui d'une systématisation formelle des tensions sociales ou interpersonnelles inhérentes au don. Le commentaire de Lefort, qui essaye d'éclairer le don à la lumière de la dialectique hégélienne des consciences en lutte, est dans une ligne phénoménologique. Pour le phénoménologue le social n'est objet en aucune manière ; il est saisi comme vécu et il s'agit ici, comme tout à l'heure en psychologie, de décrire adéquatement ce vécu pour en reconstituer le sens ; mais cette description à son tour ne peut se faire que sur la base des données sociologiques, elles-mêmes résultats d'une objectivation préalable du social.

1. L'échange et la lutte des hommes (1951), *Les formes de l'histoire,* Gallimard, 1978.
2. In *Sociologie et anthropologie,* PUF, 1950.

5. Individu et société. Le problème ethnologique. —
Les remarques antérieures portant sur le social originaire, pris comme dimension d'existence, et qui nous
ont conduit à la psychologie de l'enfant, ont peut-être
paru militer en faveur d'une dégradation du social
dans l'individuel. Certains passages de Merleau-Ponty
dans la *Phénoménologie de la perception* peuvent le
suggérer aussi. En réalité la phénoménologie, attachée
aux recherches sociologiques et ethnologiques concrètes, vise à partir d'elles le dépassement de l'antinomie
traditionnelle entre l'individu et la société. Il n'est pas
question bien entendu de supprimer la spécificité des
sciences sociologiques et psychologiques : la phénoménologie s'aligne, en ce qui concerne ce problème,
sur la position définie par Mauss dans son article
« Rapport de la psychologie et de la sociologie »[1], et
qui préconise un enveloppement des deux disciplines
sans fixation de frontière rigide.

Or ici comme en psychologie, les résultats de
l'élaboration théorique convergent avec les recherches
indépendantes : ainsi l'école culturaliste américaine
aboutit *en fait* à abandonner les catégories solidifiées
et contraires d'individu et de société. Lorsque Kardiner reprend et prolonge les recherches de Cora
du Bois sur la culture des îles Alor à la lumière de la
catégorie de *basic personality,* il esquisse à la fois une
méthode d'approche épargnant les inconséquences de
la pensée causale et réductrice, et une théorie de
l'infrastructure *neutre* sur laquelle s'édifient et le psychique et le social. Cette base neutre répond assez
bien aux exigences d'une « existence anonyme » qui
serait une coexistence anonyme, imposées par la
réflexion phénoménologique sur le *Mitsein* et le rapport du pour soi et du pour autrui. Kardiner

1. In *Sociologie et anthropologie,* PUF, 1950.

s'attache (en vertu d'un postulat psychanalytique et même psychologiste sur lequel nous reviendrons) à décrire l'expérience totale du jeune enfant dans son milieu culturel, puis à établir des corrélations entre cette expérience et les institutions de ce milieu, enfin à conclure que celles-ci fonctionnent comme des projections de celle-là.

Les femmes d'Alor effectuent le travail de production (agraire) ; quatorze jours après la naissance l'enfant est généralement abandonné aux mains de qui se trouve là (aîné, parents éloignés, voisins) ; nourri de façon très irrégulière, il souffre de la faim, et ne peut lier la suppression éventuelle de celle-ci avec l'image de sa mère ; ses premiers apprentissages ne sont pas dirigés, ni même encouragés ; au contraire ceux qui l'entourent le ridiculisent, provoquent ses échecs, le découragent ; le système des punitions et des récompenses est fluctuant, imprévisible, et interdit toute stabilisation des conduites ; le contrôle de la sexualité est inexistant. On peut ainsi esquisser les caractères de la personnalité de base : « Sentiment d'insécurité, manque de confiance en soi, méfiance à l'égard d'autrui et incapacité d'un attachement affectif solide, inhibition de l'homme en face de la femme, absence d'idéal, incapacité de mener une entreprise à son terme. »[1] Corrélativement à cette personnalité, certaines institutions sont apparemment dérivées de ces frustrations familiales : le caractère vague et la faible intensité de la religion comme dogme et comme pratique s'expliquent par la faiblesse du surmoi ; la croyance dans des personnages,

_____

1. Lefort, La méthode de Kardiner, *CIS*, X, p. 118. On notera le caractère négatif de chaque facteur. N'est-ce pas qu'implicitement la personnalité de base est définie relativement à celle de notre culture et en contraste avec elle ? Cette relativité est inévitable au niveau de la compréhension, elle en fonde la possibilité.

des esprits bénéfiques, est fondée dans l'expérience enfantine d'abandon ; la négligence et l'absence d'initiative dans les techniques artistiques ou même de construction expriment la faiblesse de la personnalité ; l'instabilité du mariage et la fréquence des divorces, l'anxiété masculine devant la femme, l'initiative exclusivement féminine dans les relations sexuelles, l'importance des transactions financières monopolisées par les hommes et qui provoquent souvent chez ceux-ci des inhibitions sexuelles – traduisent l'hostilité des hommes envers les femmes, enracinée dans l'histoire enfantine, ainsi que l'agressivité, l'anxiété et la défiance dont la croissance de l'enfant est entourée et pénétrée. Kardiner a fait faire par des psychologues ignorant ses propres conclusions des tests de Rorschach sur les habitants d'Alor : les résultats vont dans le même sens que son interprétation ; par ailleurs l'examen d'histoires de vie confirme encore davantage, s'il en était besoin, la corrélation établie entre l'expérience enfantine et l'intégration à la culture.

Nous avons utilisé à plusieurs reprises le terme de corrélation pour lier ensemble les données de l'histoire individuelle et celles de la culture collective. Il faut préciser ce terme qui demeure ambigu. Kardiner s'y emploie lorsqu'il distingue institutions primaires et institutions secondaires ; les premières « sont celles qui posent les problèmes d'adaptation fondamentaux et inévitables. Les institutions secondaires résultent de l'effet des institutions primaires sur la structure de la personnalité de base »[1]. Ainsi pour s'en tenir à l'institution « religion », à Alor où règne l'« abandonnisme » de l'enfant, l'*ego* reste amorphe et s'avère inapte à former l'image des dieux ; tandis

1. Cité par Lefort, *ibid.*, 121.

qu'aux Marquises où l'éducation est souple et négligente, l'élaboration et la pratique religieuses sont secondaires, encore que la jalousie motivée par l'indifférence maternelle se projette dans des contes où l'ogresse joue un grand rôle ; à Tanala, en revanche, l'éducation patriarcale rigoureuse et le contrôle sévère de la sexualité se traduisent par une religion où l'idée de destin est puissamment contraignante. On voit que Kardiner lie les institutions secondaires, par exemple la religion, à la personnalité de base, non pas de façon purement mécaniste mais en psychanalyste, utilisant les concepts de projection et de motivation. Quant à la personnalité de base, sa structure est commune à tous les membres d'une culture donnée : elle est finalement le meilleur moyen de *comprendre* cette culture.

Il demeure évidemment des ambiguïtés dans les formulations de Kardiner : il est clair notamment, et cette critique déjà classique est essentielle, que l'éducation n'est une institution primaire que pour l'enfant, et non pour la personnalité de base en général. Primaire et secondaire paraissent désigner un ordre de succession temporel, mais ce temps ne peut être celui de la culture elle-même, dont on prétend isoler les structures institutionnelles, il est celui de l'individu psychologique. En réalité l'éducation à Alor dépend étroitement du standard de vie des femmes, celui-ci à son tour renvoie, si on veut le comprendre, à la société globale, y compris ses institutions « secondaires ». La personnalité de base ne peut donc être comprise comme *intermédiaire* entre primaire et secondaire, même s'il s'agit d'une interrelation de motivations et non pas d'une causalité linéaire : car on a beau poursuivre aussi loin qu'on veut la détection du réseau complexe des motivations dont une culture est faite, on n'aboutit jamais à des données premières constituant une infrastructure responsable du style de la culture considérée. On peut dire seulement avec Lefort que *c'est au sein de la personnalité de base que les institutions elles-mêmes prennent un sens,* et que la saisie adéquate de celle-ci par l'ethnologue permet seule de comprendre la culture qu'elle caractérise. Cette personnalité est une totalité intégrée, et si telle institution se modifie, c'est la structure tout entière de la personnalité qui entre en mouvement : par exemple, chez les Tanala, le passage de la culture sèche à la culture humide du riz modifie non seulement le régime de la propriété, mais la structure familiale, la pratique sexuelle, etc. Ces modifications ne sont compréhensibles qu'à partir du sens que les Tanala projettent sur la culture du riz, et ce sens enfin ne prend forme qu'à partir de la source de tout sens qu'est la personnalité de base. Celle-ci constitue donc bien la « socialité vivante » dont Husserl faisait l'objectif du sociologue, elle est ce par quoi des hommes coexistent effectivement « dans » une société, elle est, en deçà des institutions, la « culture culturante » (Lefort). Ainsi l'individu n'existe pas comme entité spécifique, puisqu'il *signifie* le social, comme le montrent les histoires de vie, et la société pas davantage à titre d'en soi coercitif, puisqu'elle *symbolise* avec l'histoire individuelle.

Les recherches objectives peuvent donc, si elles sont « reprises », nous restituer la vérité du social, comme elles peuvent démasquer la vérité du psychique. Cette vérité, ces vérités sont inépuisables puisqu'elles sont celles des hommes concrets : Mauss le savait ; mais il savait aussi qu'elles sont pénétrables par les catégories de signification. Le culturalisme demeure pour sa part trop soumis aux catégories causales de la psychanalyse, déjà corrigées par Merleau-Ponty à propos de la sexualité. La vérité de l'homme n'est pas décomposable, même en sexualité et société, et c'est pourquoi toute approche objective doit être non pas rejetée, mais redressée. Plus que toute autre, l'histoire, science totale, confirmera ces résultats[1].

1. Dans *Ambiguïtés de l'anthropologie culturelle* : introduction à l'œuvre d'Abram Kardiner, qui constitue l'introduction à l'édition française de *L'individu dans sa société,* Gallimard, 1969, et qui est reprise dans *Les formes de l'histoire,* Gallimard, 1978, Claude Lefort se montre très sévère pour le positivisme de Kardiner, tant dans son approche du fait social que dans son usage des notions freudiennes.

Chapitre IV

PHÉNOMÉNOLOGIE ET HISTOIRE

1. **L'historique.** — Il y a d'abord une ambiguïté du terme histoire qui désigne aussi bien la réalité historique que la science historique. Cette ambiguïté exprime une équivoque existentielle, à savoir que le sujet de la science historique est aussi un être historique. On comprendra aussitôt que l'interrogation « comment une science historique est-elle possible ? », qui intéresse notre propos, est rigoureusement liée à l'interrogation « l'être historique doit-il et peut-il transcender sa nature d'être historique pour saisir la réalité historique en tant qu'objet de science ? » Si l'on nomme historicité cette nature, cette seconde question devient : l'historicité de l'historien est-elle compatible avec une saisie de l'histoire répondant aux conditions des sciences ?

Il nous faut d'abord nous interroger sur la conscience d'histoire elle-même ; comment l'objet Histoire advient-il à la conscience ? Ce ne peut être de l'expérience naturelle portant sur le déroulement du temps, ce n'est pas parce que le sujet « se trouve dans l'histoire » qu'il est temporel, mais « s'il n'existe et ne peut exister qu'historiquement, c'est qu'il est temporel dans le fond de son être »[1]. Que signifierait en effet une histoire *dans* laquelle le sujet se trouverait, un

1. Heidegger, *Sein und Zeit,* dans la trad. Corbin, *Qu'est-ce que la métaphysique ?,* Gallimard, p. 176.

objet *historique en lui-même* ? Empruntons à Heidegger l'exemple d'un meuble ancien, chose historique. Le meuble est chose historique non pas seulement parce que objet éventuel de la science historique, mais en lui-même. Mais qu'est-ce, en lui-même, qui le fait historique ? Est-ce parce qu'il est encore de quelque manière ce qu'il était ? Pas même puisqu'il a changé, s'est dégradé, etc. Est-ce donc parce qu'il est « vieux », hors d'usage ? Mais il peut ne pas l'être, tout en étant meuble ancien. Qu'est-ce alors qui est *passé,* dans ce meuble ? C'est, répond Heidegger, le « monde » dont il faisait partie ; ainsi cette chose subsiste encore maintenant, et par là elle est présente et ne peut qu'être présente ; mais en tant qu'objet appartenant à un monde passé, cette chose présente est passée. Par conséquent l'objet est bien historique en lui-même, mais à titre secondaire ; il est historique seulement parce que sa provenance est due à une humanité, à une subjectivité ayant été présente. Mais alors cette subjectivité à son tour, que signifie pour elle le fait d'avoir été présente ?

Nous voilà donc renvoyés de l'historique secondaire à un historique primaire ou mieux originaire. Si la condition de l'historique du meuble n'est pas dans le meuble, mais dans l'historique du monde humain où ce meuble avait sa place, quelles conditions nous garantissent que cet historique est originaire ? Dire que la conscience est historique, ce n'est pas seulement dire qu'il y a quelque chose comme du temps pour elle, mais qu'*elle est temps*. Or la conscience est toujours conscience de quelque chose, et une élucidation aussi bien psychologique que phénoménologique de la conscience va mettre à jour une série infinie d'intentionalités, c'est-à-dire de consciences de. En ce sens la conscience est flux de vécus *(Erlebnisse),* qui sont tous au présent. Du côté objectif, il n'y a aucune garantie de continuité historique ; mais vers le pôle subjectif, ce flot unitaire des vécus, quelle en est la condition de possibilité ? Comment peut-on passer des vécus multiples au moi, alors qu'il n'y a dans le moi rien d'autre que ces vécus ? « Bien qu'il soit entrelacé de cette façon particulière avec tous ses vécus, le moi qui les vit n'est pourtant point quelque chose qui puisse être considéré *pour soi* et traité comme un objet *propre* d'étude. Si l'on fait abstraction de ses façons de se rapporter et de ses façons de se comporter..., il n'a aucun contenu que l'on puisse expliciter : il est en soi et pour soi indescriptible : moi pur et rien de plus » (Husserl, *Ideen I,* 271). Le problème auquel mène l'élaboration du problème de la science historique est donc à présent celui-ci : puisque l'Histoire ne peut pas être donnée au sujet par l'objet, c'est que le sujet est historique lui-même, non par accident, mais originairement. Comment dès lors l'historicité du sujet est-elle compatible avec son unité et sa totalité ? Cette question de l'unité d'une succession vaut aussi bien pour l'histoire universelle.

Une formule célèbre de Hume peut éclairer davantage ce problème : « Le sujet n'est rien d'autre qu'une série d'états qui se pense elle-même. » Nous retrouvons là la série des *Erlebnisse.* L'unité de cette série serait donnée par un acte de pensée immanente à cette série ; mais cet acte, comme le note Husserl, s'ajoute à la série comme un *Erlebniss* supplémentaire, pour lequel il faudra une nouvelle saisie synthétique de la série, c'est-à-dire un nouveau vécu : on se trouvera alors devant une série inachevée d'abord, et surtout dont l'unité sera toujours en question. Or l'unité du moi n'est pas en question. « Nous ne gagnons rien à transporter le temps des choses en nous, si nous renouvelons "dans la conscience" l'erreur de le définir comme une succession de maintenant » (Merleau-

Ponty, *Phén. perc.,* 472), c'est en quoi la phénoménologie cherche à se détacher du bergsonisme. Il est clair que le passé est comme noèse un « maintenant » *en même temps* qu'un « ne plus » comme noème, l'avenir un « maintenant » en même temps qu'un « pas encore », et dès lors il ne faut pas dire que le temps s'écoule *dans* la conscience, c'est au contraire la conscience qui, à partir de son maintenant, déploie ou constitue le temps. On pourrait dire que la conscience intentionalise maintenant le *cela* dont elle est conscience selon le mode du ne plus, ou selon le mode du pas encore, ou enfin selon le mode de la présence.

Mais la conscience serait alors contemporaine de tous les temps, si c'est à partir de son maintenant qu'elle déploie le temps : une conscience constitutive du temps serait intemporelle. En vue d'éviter l'immanence peu satisfaisante de la conscience au temps, nous débouchons sur une immanence du temps à la conscience, c'est-à-dire sur une transcendance de la conscience au temps qui laisse inexpliquée la temporalité de cette conscience. En un sens nous n'avons pas fait un pas depuis la position première du problème : la conscience, et notamment la conscience historienne, à la fois enveloppe le temps et est enveloppée par le temps. Mais en un autre sens nous avons élaboré le problème sans préjuger de sa solution, soucieux de le poser correctement : le temps, et par conséquent l'histoire, n'est pas saisissable en soi, il doit être renvoyé à la conscience qu'il y a de l'histoire ; la relation immanente de cette conscience à son histoire ne peut être comprise ni horizontalement comme série qui se développe, car d'une multiplicité on ne tire pas une unité, ni verticalement comme conscience transcendantale posant l'histoire, car d'une unité intemporelle on n'obtient pas une continuité temporelle.

2. **L'historicité.** — Qu'en est-il donc enfin de la temporalité de la conscience ? Revenons à la description des « choses mêmes », c'est-à-dire à la conscience du temps. Je me trouve en prise sur un champ de présences (ce papier, cette table, cette matinée) ; ce champ se prolonge en horizon de rétentions (je tiens encore « en main » le début de cette matinée) et se projette en horizon de protentions (cette matinée s'achève en repas). Or ces horizons sont mouvants : ce moment qui était présent et *par conséquent qui n'était pas posé comme tel* commence à se profiler à l'horizon de mon champ de présences, je le saisis comme passé récent, je ne suis pas coupé de lui puisque je le reconnais. Puis il s'éloigne davantage encore, je ne le saisis plus immédiatement, il me faut pour le prendre en main traverser une épaisseur nouvelle. Merleau-Ponty (*Phén. perc.,* 477) emprunte à Husserl (*Zeitbewusstsein,* § 10) l'essentiel du schéma ci-après, où la ligne horizontale exprime la série des maintenant, les lignes obliques les esquisses de ces mêmes maintenant vus d'un maintenant ultérieur, les lignes verticales les esquisses successives d'un même maintenant. « Le temps n'est pas une ligne, mais un réseau d'intentionalités. » Quand de A je glisse en B, je tiens A en main à travers A′ et ainsi de suite. On dira que le problème est seulement repoussé : il s'agissait d'expliquer l'unité du flux des vécus, il faut donc établir ici l'unité verticale de A′ avec A, puis de A″ avec A′ et A, etc. On remplace la question de l'unité de B avec A par celle de l'unité de A′ avec A. C'est où Merleau-Ponty, après Husserl et Heidegger, établit une distinction fondamentale pour notre problème de la conscience historienne : dans le souvenir *exprès* et l'évocation *volontaire* d'un passé lointain, il y a bien place en effet pour des synthèses d'identification qui me permettent par exemple d'accrocher *cette* joie à son temps de provenance, c'est-à-dire de la

localiser. Mais cette opération intellectuelle elle-même, qui est celle de l'historien, présuppose une unité naturelle et primordiale par laquelle c'est A lui-même que j'atteins en A′. On dira que A est altéré par A′ et que la mémoire transforme ce dont elle est mémoire, proposition banale en psychologie. A quoi Husserl

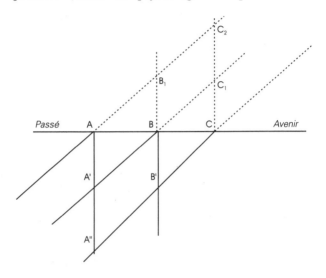

répond que ce scepticisme, qui est à la base de l'historicisme, se nie lui-même comme scepticisme, puisque le sens de l'altération implique que l'*on sait de quelque manière cela qui est altéré,* c'est-à-dire A en personne[1]. Il y a donc comme une *synthèse passive* de A avec ses esquisses, étant entendu que ce terme n'explique pas l'unité temporelle, mais permet d'en poser correctement le problème.

1. Ceci renvoie à la description de la réflexion et à la défense de sa valeur, cf. ci-dessus, p. 50 sq.

Il faut encore noter que quand B devient C, B devient aussi B′, et que simultanément A déjà tombé en A′ tombe en A″. Autrement dit, mon temps tout entier bouge. Le cela à venir que je ne pouvais saisir qu'à travers des esquisses opaques finit par m'advenir en personne, C2 « descend » en C1, puis se donne en C dans mon champ de présence, et comme je médite sur cette présence déjà C s'esquisse pour moi comme « ne plus » en tant que déjà ma présence est en D. Or si la totalité est donnée d'un coup, cela signifie qu'*il n'y a pas de problème véritable d'unification après coup de la série des vécus.* Heidegger montre que cette façon de poser le problème (synthèse *a posteriori* d'une multiplicité d'états) caractérise l'existence inauthentique, qui est existence « perdue dans le On ». La réalité humaine *(Dasein)* dit-il, « ne se perd pas de manière à devoir se recueillir en quelque sorte après coup, hors de la distraction, ni de manière à devoir inventer de toute pièce une unité qui cohère et qui recueille » (*Sein und Zeit, loc. cit.,* 198). « La temporalité, écrit-il plus loin, se temporalise comme avenir qui va au passé en venant au présent » (cité par Merleau-Ponty, 481). Il n'y a donc pas à expliquer l'unité du temps intérieur ; chaque maintenant reprend la présence d'un « ne plus » qu'il chasse dans le passé, et anticipe la présence d'un « pas encore » qui l'y chassera ; le présent n'est pas clos, il se transcende vers un avenir et vers un passé, mon maintenant n'est jamais, comme dit Heidegger, une in-sistance, un être contenu dans un monde, mais une ex-sistance ou encore une ek-stase, et c'est finalement parce que je suis une intentionalité ouverte que je suis une temporalité[1].

---

1. La théorie husserlienne du « Présent vivant », telle qu'elle se dégage des inédits, est exposée par Tran-Duc-Thao, *op. cit.,* 139 sq. Voir aussi l'excellente Introduction de J. Derrida à *L'origine de la géométrie,* trad. Derrida, PUF, 1962.

Avant de passer au problème de la science historique, une remarque sur cette proposition s'impose : signifie-t-elle que le temps est subjectif, et qu'il n'y a pas de temps objectif ? On peut à cette question répondre à la fois oui et non : oui le temps est subjectif, parce que le temps a un sens, et que s'il en a un c'est parce que nous sommes temps, de même que le monde n'a de sens pour nous que parce que nous sommes monde par notre corps, etc., et telle est bien l'une des principales leçons de la phénoménologie. Mais simultanément le temps est objectif puisque nous ne le constituons pas par l'acte d'une pensée qui en serait elle-même exempte ; le temps comme le monde est toujours un *déjà* pour la conscience, et c'est pourquoi le temps, pas davantage que le monde, ne nous est transparent ; comme nous avons à explorer celui-ci, nous avons à « parcourir » du temps, c'est-à-dire à développer notre temporalité en nous développant nous-mêmes : nous ne sommes pas des subjectivités fermées sur elles-mêmes, dont l'essence serait définie ou définissable *a priori*, bref des monades pour qui le devenir serait un accident monstrueux et inexplicable, mais nous devenons ce que nous sommes et nous sommes ce que nous devenons, nous n'avons pas de signification assignable une fois pour toutes, mais *de* la signification en cours, et c'est pourquoi notre avenir est relativement indéterminé, pourquoi notre comportement relativement imprévisible pour le psychologue, pourquoi nous sommes libres.

3. **La philosophie de l'histoire.** — Nous savons à présent comment il y a de l'histoire pour la conscience : c'est qu'elle est elle-même histoire. Toute réflexion sérieuse sur la science historique doit commencer par ce commencement ; R. Aron (*Introduction à la philosophie de l'histoire,* Gallimard, 1938) consa-

crant ainsi un chapitre à l'étude de la connaissance de soi, débouche sur les mêmes résultats : « Nous avons conscience de notre identité à travers le temps. Nous nous sentons toujours ce même être indéchiffrable et évident, dont nous serons éternellement le seul spectateur. Mais les impressions qui assurent la stabilité de ce sentiment, il nous est impossible de les traduire, même de les suggérer » (59). Il y a un échec du psychologue objectiviste qui veut définir mon histoire, laquelle est essentiellement inachevée, c'est-à-dire indéfinissable ; je ne suis pas un objet, mais un projet ; je ne suis pas seulement ce que je suis, mais encore ce que je vais être, et ce que je veux avoir été et devenir. Mais cette histoire qu'il y a pour la conscience ne s'épuise pas dans la conscience de son histoire ; l'histoire, c'est aussi l' « histoire universelle », relative non plus au *Dasein,* mais au *Mitsein,* c'est l'histoire des hommes.

Nous ne reprendrons pas l'interrogation : comment y a-t-il un *alter ego* pour l'*ego* ? Elle est impliquée, nous l'avons vu, dans toutes les sciences humaines. Nous nous attacherons seulement à la manière spécifique dont l'objet histoire se présente à l'historien.

Il se présente par des signes, des débris, des monuments, des récits, un matériel possible. Ce meuble dont parlait Heidegger renvoie déjà de lui-même au monde d'où il vient. Il y a une voie ouverte vers le passé, antérieure au travail de la science historique : ce sont les signes eux-mêmes qui nous ouvrent cette voie, nous glissons immédiatement de ces signes à leur sens, ce qui ne veut pas dire que nous savons d'un savoir explicite le sens de ces signes et que la thématisation scientifique n'ajoute rien à notre compréhension ; seulement cette thématisation, cette construction du passé est, comme on dit, une reconstruction, il faut bien que les signes d'où part la thématisation portent déjà en eux-mêmes le sens d'un passé, sinon comment distinguer le discours de l'historien et une fabulation ? Nous retrouvons ici les résultats de l'élucidation du sens ; par l'histoire nous venons au-devant d'un monde culturel, qu'il faudra, bien sûr, reconstituer et restituer par un travail de réflexion (Aron), mais ce monde culturel vient aussi au-devant de nous comme monde culturel ; le débris, le monument, le récit renvoient l'historien, chacun selon son mode propre, à un horizon culturel où s'esquisse l'univers collectif dont il témoigne, et cette saisie de l'être historique des signes n'est possible que parce qu'il y a une historicité de l'historien. « Ce ne sont ni la réunion, ni le triage, ni la garantie des matériaux qui mettent en marche le retour vers le "passé", mais tout cela présuppose déjà... l'historicité de l'existence de l'historien. C'est cette historicité qui fonde existentialement l'histoire comme science, jusque dans les dispositions les moins apparentes, jusque dans les arrangements qui sont "choses de métier" » (*Sein und Zeit, loc. cit.,* 204). Et R. Aron : « Toutes les analyses qui suivent sont dominées par cette affirmation que l'homme n'est pas seulement dans l'histoire, mais qu'il porte en lui l'histoire qu'il explore » (*loc. cit.,* 11). Par conséquent les signes se présentent à l'historien immédiatement investis d'un sens de passé, mais ce sens n'est pas transparent et c'est pourquoi une élaboration conceptuelle en histoire est nécessaire. « L'histoire appartient à l'ordre non de la vie, mais de l'esprit » (Aron, *ibid.,* 86). Cela veut dire que l'historien, sur la base de cette mise en marche, doit dévoiler, non pas des lois, non pas des événements individuels, mais « la possibilité qui fut effectivement existante dans le passé » (Heidegger, *loc. cit.,* 205). Mais pour y atteindre, quoi que pense Heidegger sur ce point, l'historien doit reconstruire avec des concepts. « Or, dit Aron, nous avons toujours le choix entre de multiples systèmes, puisque l'idée est à la fois immanente et transcendante à la vie », entendons par là qu'il y a bien « à l'intérieur » d'un devenir historique donné une signification de ce devenir (une « logique » économique, ou spirituelle, ou juridique, etc.), mais que cette signification ou cette « logique » doit être révélée par un acte de l'historien qui équivaut à un choix sur ce devenir. Ce choix est explicite ou non, mais il n'y a pas de science historique qui ne s'appuie sur une philosophie de l'histoire. Nous ne pouvons ici reproduire les minutieuses analyses de Raymond Aron.

On dira que la nécessité pour l'historien d'élaborer conceptuellement le devenir n'engage pas une philosophie, mais une méthodologie scientifique. Non, répond R. Aron, parce que la réalité historique n'est pas essentiellement constituée, comme est la réalité physique, mais essentiellement ouverte et inachevée ; il y a un discours cohérent de la physique parce qu'il y a un univers physique cohérent, même pour le physicien ; mais l'univers historique peut bien être cohérent, toujours est-il que pour l'historien cette cohérence est inassignable, parce que cet univers n'est pas fermé. Sans doute Waterloo est-il passé, et l'histoire du Premier Empire est-elle achevée ; mais si nous abordons comme tel ce moment du devenir, nous le manquons précisément, puisque pour les acteurs, desquels nous tentons de restituer le monde (cette « possibilité qui fut effectivement existante dans le passé »), ce moment se profilait sur un horizon équivoque de possibles contingents. Après coup nous déclarons la chute de l'Empire nécessaire, mais c'est avouer que nous faisons alors l'histoire de cette Histoire à partir d'un observatoire, qui est lui-même historique, puisque nous disons « après coup » : dès lors l'histoire que nous faisons n'est pas une science trans-cendantale. Qu'est-elle donc ? « La science historique est une forme de la conscience qu'une communauté prend d'elle-même » (Aron, *op. cit.,* 88), en tant que telle inséparable de la situation historique au sein de laquelle elle s'élabore, et de la volonté du savant lui-même. Les interprétations données pour un même moment du devenir sont variables en fonction du moment du devenir où elles sont données. Le Moyen Age n'était pas le même pour le XVIIᵉ et pour le XIXᵉ siècle. Mais est-il impossible d'envisager, à titre de postulat premier de l'effort de l'historien, une interprétation qui serait adéquate au réel interprété ? Non, répond encore R. Aron, parce que ou bien cette interprétation définitive serait sur le modèle causal des sciences de la nature (économisme simpliste par exemple), et une telle interprétation ne peut pas saisir l'ensemble du réel historique, s'appliquer à un devenir total, relève enfin d'une démarche libre qui prime tel « facteur » ; ou bien elle serait sur le modèle de la « compréhension », appropriation du passé par saisie de son sens, mais précisément ce sens ne nous est pas donné d'une façon immédiatement transparente. La causalité et la compréhension ont chacune leur limite. Pour dépasser ces limites il faut faire une hypothèse sur le devenir total, qui non seulement reprend le passé mais saisit le présent de l'historien comme passé, c'est-à-dire le profile sur un avenir ; il faut faire une philosophie de l'histoire. Mais l'usage de cette philosophie est conditionnée par une histoire de la philosophie, qui exprime à son tour une immanence au temps d'une pensée qui se voudrait intemporelle. Ainsi le marxisme par exemple apparaît-il alors non pas comme une science, mais comme une idéologie, non pas comme une connaissance objective, mais comme une hypothèse faite sur le futur par des politi-

ques. Tombe-t-on alors dans l'historicisme, c'est-à-
dire dans l'acceptation d'un devenir sans signification, laquelle entraîne et scepticisme et fatalisme et
indifférence ? Pas même puisque l'historicisme lui-
même est historiquement lié à la crise du positivisme,
et que ses thèses, négatives, ne peuvent pas davantage
que d'autres se donner comme absolument vraies :
comme tout scepticisme il se nie lui-même.

4. Science historique et historicité. — On voit dans
quelle direction s'engageait R. Aron ; il représentait
assez bien ce que nous appellerions l'aile droite de la
phénoménologie, et encore que son travail fût sans
commune mesure avec le livre de Monnerot déjà cité,
il faisait subir à l'histoire une réduction comparable,
par l'intellectualisme qui l'inspirait, à celle que cet
ouvrage infligeait à la sociologie. Il est évident qu'une
interprétation mécaniste de l'Histoire doit être
rejetée ; mais il ne l'est pas moins qu'une méthode
compréhensive ne se prolonge pas nécessairement
dans un *système* philosophique.

Certes l'absence des hommes qui habitaient ce *Mitsein* vers lequel l'historien se tourne rend sa tâche
plus complexe encore que celle de l'ethnologue ; mais
il n'en demeure pas moins que ce synchronisme qu'a
été l' « époque » historique considérée recèle un sens
à comprendre, sans quoi il ne serait pas *de* l'histoire
humaine. Il faut bien qu'en quelque manière ce sens
nous sollicite, qu'il y ait donc de cette époque à la
nôtre et à nous-mêmes une communication originaire,
une complicité ; et celle-ci garantit en principe la possibilité d'une compréhension de ce passé. En somme
R. Aron insistait, après Dilthey, sur la discontinuité
du devenir tant qu'à la fin, d'une période à l'autre, le
passage de la pensée compréhensive s'obstruait, et
qu'il fallait que l'historien fît usage d'un ensemble de

concepts qu'il projetait sur le passé aveuglément, attendant la réaction comme un chimiste empirique ; mais cette discontinuité n'existe pas, puisqu'il y a une histoire, c'est-à-dire justement une reprise incessante de leur passé par les hommes et une protension vers l'avenir ; supprimer la continuité historique, c'est nier qu'il y ait du sens dans le devenir ; or il faut bien qu'il y ait du sens dans le devenir, non pas parce que les hommes pensent ce sens, ou fabriquent des systèmes du sens de l'histoire, mais parce que les hommes en vivant, et en vivant ensemble, sécrètent du sens.

Ce sens est ambigu en tant qu'il est précisément en devenir. De même qu'il n'y a pas une signification dont on puisse qualifier sans recours une subjectivité, parce que celle-ci est lancée vers un avenir où les possibles sont ouverts qui la définiront un peu davantage, de même le sens (la direction) d'une conjoncture historique totale n'est pas assignable une fois pour toutes, puisque la société globale qui s'en trouve affectée ne peut être cernée comme une chose évoluant selon les lois de la mécanique, et qu'à une étape de ce système complexe, ne succède pas *une* étape, mais un éventail d'éventualités. Les possibles ne sont pas innombrables, et c'est pourquoi il y a du sens dans l'histoire, mais ils sont plusieurs, et c'est pourquoi ce sens ne se lit pas sans peine. Enfin ce futur ouvert appartient en tant qu'ouvert à la conjoncture présente elle-même, il ne lui est pas surajouté, c'est elle qui se prolonge en lui comme dans sa propre essence, une grève générale n'est pas seulement ce qu'elle est, elle est aussi et non moins ce qu'elle va devenir ; si elle se solde par l'échec et le recul de la classe ouvrière, elle sera comprise comme un sursaut réprimé, comme un combat d'arrière-garde, ou comme un avertissement, selon la nature de l'étape suivante, ou bien se convertissant en grève politique, elle prend un sens explicitement révolutionnaire, dans tous les cas son sens définitif est renvoyé de proche en proche le long du développement historique, et c'est pourquoi elle n'a pas à proprement parler un sens définitif, puisque ce développement ne s'achève pas.

La méprise de R. Aron tient à ce qu'il situe le sens de l'histoire au niveau de la pensée de ce sens, et non pas au niveau de ce sens vécu, telle que la sociologie tout à l'heure nous le révélait[1]. Aussi bien les difficultés rencontrées par l'historien pour restituer le noyau signifiant d'une période, cette « culture culturante » à partir de laquelle la « logique » du devenir des hommes transparaît en clair à travers les événements et les organise en un mouvement, ces difficultés ne sont-elles pas celles de l'ethnologue ? Bien entendu dans la mesure où l'historien s'attaque à des sociétés « historiques » il lui appartient de révéler en outre la *raison* du mouvement, de dévoiler l'évolution d'une culture, d'en ramasser les possibles ouverts à chacune de ses étapes. De même qu'il s'agissait par « une transposition imaginaire de comprendre comment la société primitive se ferme son avenir, devient sans avoir conscience de se transformer, et, en quelque sorte, se constitue en fonction de sa stagnation », de même il s'agit « de se situer au cours de la société progressive pour appréhender le mouvement du sens, la pluralité des possibles, le débat encore ouvert » (Lefort, art. cité, « Les Temps modernes », février 1951).

Ce n'est donc pas parce que l'historien est lui-même pris dans l'histoire et que sa pensée est à son tour un événement, que l'histoire qu'il construit se trouve invalidée, ni que cette pensée ne puisse être vraie et

---

1. On retrouve la même attitude dans *L'opium des intellectuels* (Calmann-Lévy, 1955), où R. Aron met, à la discussion du sens de l'histoire, le terme suivant : « L'histoire a, en dernière analyse, le sens que lui attribue notre philosophie » (171).

doive se satisfaire d'exprimer une *Weltanschauung* transitoire. Lorsque Husserl proteste contre la doctrine historiciste et exige de la philosophie qu'elle soit une *science rigoureuse,* il ne cherche pas à définir une vérité extérieure à l'histoire, il demeure au contraire au centre de sa compréhension de la vérité[1] : celle-ci n'est pas un objet intemporel et transcendant, elle est vécue dans le flux du devenir, elle sera corrigée indéfiniment par d'autres vécus, elle est donc « omni-temporelle », en voie de réalisation, et l'on peut dire d'elle ce qu'en disait Hegel : elle est un résultat – avec cette nuance toutefois que nous savons l'histoire sans fin. L'historicité de l'historien et son engrènement dans une coexistence sociale n'interdisent pas que la science historique soit faite, *ce sont au contraire des conditions de sa possibilité.* Et lorsque R. Aron conclut que « la possibilité d'une philosophie de l'histoire se confond finalement avec la possibilité d'une philosophie en dépit de l'histoire » (*op. cit.,* 320-321), il admet implicitement une définition dogmatique de la vérité intemporelle et immuable. Celle-ci se trouve en effet au centre de toute sa pensée, elle engage tout un système philosophique latent, et s'avère radicalement contradictoire avec l'appréhension de la vérité en mouvement que le dernier Husserl exprimait avec force.

La phénoménologie ne propose donc pas une philosophie de l'histoire, mais elle répond affirmativement à la question que nous posions en commençant ce chapitre, si du moins l'on ne veut pas réduire le sens du mot science au mécanisme, et si l'on tient compte de la révision méthodologique qui a été esquissée à propos de la sociologie. Elle propose une reprise réflexive des données de la science historique, une analyse intentionnelle de la culture et de la

1. Cf. ci-dessus, p. 37.

période définies par cette science, et la reconstitution de la *Lebenswelt* historique concrète grâce à laquelle le sens de cette culture et de cette période transparaît. Ce sens ne peut en aucun cas être présupposé, et l'histoire ne se lit pas à travers tel « facteur », qu'il soit politique, économique, racial ; le sens est latent parce que originaire, il doit être reconquis sans présupposé, si l'on se laisse guider par « les choses mêmes ». Cette possibilité de ressaisir la signification d'une culture et de son devenir est fondée en principe sur l'historicité de l'historien. Le fait que la phénoménologie se soit elle-même située dans l'histoire, et qu'avec Husserl[1] elle se soit identifiée comme une chance de sauvegarder la raison définissant l'homme, qu'elle ait tenté de s'introduire non pas seulement par une méditation logique pure, mais par une réflexion sur l'histoire présente, montre quelle ne s'est pas comprise elle-même comme une philosophie extérieure au temps ou comme un savoir absolu résumant une histoire finie. Elle s'apparaît comme un moment dans le devenir d'une culture, et ne voit pas sa *vérité* contredite par son *historicité,* puisqu'elle fait de cette historicité même une porte ouverte sur sa vérité.

Cette signification historique que la phénoménologie s'attribue est précisément contestée par le marxisme, qui lui en assigne une autre, fort différente.

5. **Phénoménologie et marxisme.**

a) La troisième voie. Il convient d'abord de souligner les oppositions *insurmontables* qui séparent phénoménologie et marxisme. Le marxisme est un matérialisme. Il admet que la matière constitue la seule réalité, et que la conscience est un mode matériel particulier. Ce matérialisme est dialectique : la matière se développe selon un mouvement dont le moteur est

1. Cf. *Krisis* ; ci-dessus, p. 34.

dans la suppression, la conservation et le dépassement de l'étape antérieure par l'étape suivante : la conscience est l'une de ces étapes. Dans la perspective qui est ici la nôtre, cela signifie notamment que toute forme *matérielle* contient en elle-même un *sens* ; ce sens existe indépendamment de toute conscience « transcendantale ». Hegel avait saisi la présence de ce sens en affirmant que tout le réel est rationnel, mais il l'imputait à un prétendu Esprit dont la nature et l'histoire n'étaient que la réalisation. Le marxisme au contraire refuse de séparer, comme font tous les idéalismes, l'être et le sens.

Certes, la phénoménologie de la troisième période husserlienne paraît à son tour refuser cette séparation, par exemple lorsque Merleau-Ponty, qui en est le représentant le plus remarquable, parle de « cette prégnance de la signification dans les signes qui pourrait définir le monde ». Mais toute la question est de savoir de quel « monde » il s'agit. Nous avons pris soin de noter ici même que le monde auquel la méditation husserlienne sur la vérité parvient finalement ne doit pas être confondu avec le monde « matériel », il se définit plutôt, comme nous l'avons fait, à partir de la conscience, ou du moins du sujet constituant. Husserl disait que la constitution du monde, telle qu'elle s'opère dans le devenir de la subjectivité, s'appuie sur la *Lebenswelt,* sur un monde originaire avec lequel cette subjectivité se trouve « en rapport » par voie de synthèses passives. Esquisse d'empirisme, conclut Jean Wahl à ce propos (*RMM,* 1952). Nous ne le pensons pas puisqu'il s'agissait toujours d'une subjectivité *réduite* et d'un monde qui n'était plus celui de la réalité naturelle ; aussi bien Husserl ne voulait-il pas tomber à son tour dans les erreurs mille fois dénoncées de l'empirisme. Comme le dit fort bien Thao, « la réalité naturelle qui se découvre dans les profondeurs du vécu n'est plus celle qui se présentait à la conscience spontanée avant la réduction » (*op. cit.,* 225). La réalité dont il s'agit, c'est celle qu'après Merleau-Ponty nous avons nommée existence, monde originaire, etc. ; et avec la phénoménologie nous avons toujours pris grand soin de la dégager de toute appréhension objectiviste possible. Cette réalité n'est donc pas objective, non plus que subjective ; elle est *neutre* ou encore ambiguë. La réalité du monde naturel antérieur à la réduction, c'est-à-dire finalement la *matière,* est en soi dénuée de sens pour la phénoménologie (cf. Sartre) ; les différentes régions de l'être se trouvent dissociées, comme le note encore Thao, et par exemple « la matière travaillée par l'homme n'est plus matière, mais "objet culturel" » (*ibid.,* 225-226). Cette matière ne prendra son sens que des catégories qui la posent comme réalité physique, de telle sorte que finalement l'être et le sens se trouvent séparés en raison de la séparation des différents règnes de l'être. Le sens renvoie exclusivement à une subjectivité constituante. Mais cette subjectivité à son tour renvoie à un monde neutre, qui est lui-même en devenir et où tous les sens de la réalité se constituent selon leur genèse *(Sinngenesis).* Dès lors conclut Thao la contradiction de la phénoménologie apparaît intolérable. Car il est clair que ce monde neutre qui détient le sens sédimenté de toute réalité ne peut qu'être la nature elle-même, ou plutôt la matière dans son mouvement dialectique. En un sens il demeure vrai que le monde avant la réduction n'est pas celui que l'on retrouve après l'analyse de la subjectivité constituante : le premier est bien en effet un univers mystifié où l'homme s'aliène, mais précisément il n'est pas la réalité ; la réalité, c'est cet univers retrouvé à la fin de la description phénoménologique et dans lequel le vécu enracine sa vérité. Mais « le vécu n'est qu'un aspect abstrait de la vie *effectivement réelle* », la phénoménologie ne pouvait parvenir à saisir en lui le « contenu matériel de cette vie sensible ». Pour conserver et dépasser les résultats de l'idéalisme transcendantal, il faut le prolonger par le matérialisme dialectique, qui le sauve de son ultime tentation : la rechute dans le « scepticisme total » que Thao voit transparaître dans les derniers écrits de Husserl et qui lui semble inévitable si l'on ne rend pas à la subjectivité « ses prédicats de réalité ».

Nous ne pouvons discuter ici le remarquable texte de Thao. Il pose clairement en tout cas l'irréductibilité des deux thèses, puisque ce n'est qu'au prix d'une identification de la subjectivité originaire comme *matière* que le marxisme peut se proposer de conserver la phénoménologie en la dépassant. On trouve dans Lukács (*Existentialisme et marxisme,* Nagel, 1948) une critique marxiste assez différente en ce qu'elle attaque la phénoménologie non pas en reprenant sa pensée de l'intérieur, mais en l'étudiant explicitement comme « comportement ». Elle complète en quelque sorte la critique précédente, puisqu'elle cherche à montrer que la phénoménologie, bien loin d'être dégradée par sa signification historique, y trouve au contraire sa vérité. On notera par ailleurs que Luckás s'attaque davantage au Husserl de la deuxième période.

Husserl a lutté, parallèlement à Lénine, contre le psychologisme de Mach et toutes les formes de relativisme sceptique qui se sont exprimées dans la pensée occidentale à partir de la fin du XIXe siècle ; cette position phénoménologique s'explique, selon Lukács, par la nécessité de liquider l'idéalisme objectif, dont la résistance au progrès scientifique avait été finalement vaincue, notamment en ce qui concerne la notion d'évolution ; l'idéalisme subjectif d'autre part menait alors visiblement, pour un penseur honnête comme Husserl, à des conclusions dangereusement obscurantistes, mais par ailleurs le matérialisme demeure à ses yeux inacceptable, subjectivement parce qu'il se situe dans la lignée cartésienne, et objectivement en raison de l'idéologie de sa classe ; de là la tentative qui caractérise le comportement phénoménologique de « revêtir les catégories de l'idéalisme subjectif d'une pseudo-objectivité... L'illusion (de Husserl) consiste précisément à croire qu'il suffit de tourner le dos aux méthodes purement psychologiques pour sortir du domaine de la conscience » (*op. cit.,* 260-262). Parallèlement, si Husserl lutte contre Mach et les formalistes, c'est pour introduire le concept d' « intuition » duquel on attend qu'il résiste au relativisme et pour réaffirmer la validité de la philosophie contre l'inévitable déchéance où le pragmatisme l'avait entraînée. Or ces thèmes sont « autant de symptômes de la crise de la philosophie ». Quelle est cette crise ? Elle est étroitement liée à la première grande crise de l'impérialisme capitaliste, qui éclata en 1914. Précédemment la philosophie avait été mise hors circuit et remplacée dans l'examen des problèmes de connaissance par les sciences spécialisées : c'est précisément le stade du positivisme, du pragmatisme, du formalisme, caractérisé par la confiance des intellectuels dans un système social apparemment éternel. Mais quand les garanties accordées par ce système lors de sa naissance politique (libertés du citoyen, respect de la personne humaine) commencent d'être menacées par les conséquences mêmes du système, on peut voir apparaître les symptômes de la crise de la pensée philosophique : tel est le contexte historique de la phénoménologie prise comme comportement. Son a-historisme, son intuitionnisme, son intention de radicalité, son phénoménisme, autant de facteurs idéologiques destinés à masquer le sens véritable de la crise, à éviter d'en tirer les inéluctables conclusions. La « troisième voie » ni idéaliste, ni matérialiste (ni « objectiviste », ni « psychologiste », disait Husserl), est le reflet de cette situation équivoque. La « philosophie de l'ambiguïté » traduit à sa manière une ambiguïté de la philosophie dans cette étape de l'histoire bourgeoise, et c'est pourquoi les intellectuels lui accordent un sens de vérité, en tant qu'ils vivent cette ambiguïté et en tant que cette philosophie, masquant sa signification véritable, remplit bien sa fonction idéologique.

b) Le sens de l'histoire. Il est donc clair qu'aucune conciliation ne peut être sérieusement essayée entre ces deux philosophies et il faut souligner qu'en effet les marxistes n'en ont jamais voulu. Mais s'ils ont eu à la refuser, c'est précisément parce qu'on la leur a offerte. Il ne nous appartient pas de retracer l'historique de la discussion ; incontestablement l'expérience politique et sociale de la Résistance et de la Libération en sont des motivations essentielles ; il faudrait faire l'analyse de la situation de l'intelligentsia pendant cette période. Toujours est-il que la phénoménologie a été amenée à confronter ses thèses avec celles du marxisme ; elle y venait au reste spontanément après le décentrement de sa problématique à partir du moi transcendantal dans la direction de la *Lebenswelt*.

La phénoménologie a investi le marxisme par deux thèses essentiellement : le sens de l'histoire, et la conscience de classe qui n'en font qu'une à vrai dire, puisque pour le marxisme, le sens de l'histoire ne peut être lu qu'à travers les étapes de la lutte des classes ; ces étapes sont dialectiquement liées avec la conscience que les classes prennent d'elles-mêmes dans le processus historique total. La classe est définie en dernière analyse par la situation dans les rapports objectifs de production (infrastructure), mais les fluctuations de son volume et de sa combativité qui reflètent les modifications incessantes de cette infrastructure sont encore liées dialectiquement avec des facteurs superstructurels (politiques, religieux, juridiques, idéologiques proprement dits). Pour que la dialectique de la lutte des classes, moteur de l'histoire, soit possible, il est nécessaire que les superstructures entrent en contradiction avec l'infrastructure ou production de la vie matérielle, et par conséquent que ces superstructures jouissent, comme le dit Thao[1], d'une « autonomie » par rapport à cette production, et n'évoluent pas automatiquement dans le sillage de son évolution. « L'autonomie des superstructures est aussi essentielle à la compréhension de l'histoire que le mouvement des forces productrices » (art. cité, 169). On parvient donc à cette thèse, reprise par Merleau-Ponty[2], selon quoi l'idéologie (dans le sens général du terme) n'est pas illusion, apparence, erreur, mais bien réalité, comme est l'infrastructure même. « La primauté de l'économique, écrit Thao, ne supprime pas la vérité des superstructures, mais la renvoie à son origine authentique, dans l'existence vécue. Les constructions idéologiques sont relatives au mode de production, non pas parce qu'elles le reflètent – ce qui est une absurdité – mais simplement parce qu'elles tirent tout leur sens d'une expérience correspondante où les valeurs "spirituelles" ne sont pas représentées, mais vécues et senties » (art. cité). Thao attribue à la phénoménologie le mérite d'avoir « légitimé la valeur de toutes les significations de

---

1. Tran-Duc-Thao, Marxisme et phénoménologie, *Revue internationale,* 2, p. 176-178. Cet article bien antérieur à la deuxième partie du livre déjà cité est en retrait du point de vue marxiste par rapport aux thèses du livre. On y trouve explicitement une intention de *réviser* le marxisme, voir les réponses de P. Naville dans *Les conditions de la liberté,* Sagittaire.
2. Marxisme et philosophie, in *Sens et non-sens,* p. 267 sq.

l'existence humaine », c'est-à-dire en somme d'avoir aidé la philosophie à dégager l'autonomie des super-structures. « En s'attachant à comprendre, dans un esprit de soumission absolue au *donné,* la valeur des objets "idéaux", la phénoménologie a su les rapporter à leur racine temporelle sans pour cela les déprécier » (*ibid.,* 173) ; et Thao montre que le rapport à l'économique permet justement de bien fonder le sens et la vérité des « idéologies » – par exemple de la phé-noménologie –, c'est-à-dire en somme de comprendre vraiment l'histoire, de comprendre comment et sur-tout pourquoi l'effort de la bourgeoisie au XVIᵉ siècle, par exemple, pour s'affranchir de la puissance papale a pris la forme idéologique de la Réforme : affirmer que cette forme n'est qu'un reflet *illusoire* (idéo-logique) d'intérêts matériels, c'est refuser de com-prendre l'histoire. Thao propose d'expliquer le mouvement de Réforme comme la traduction « ratio-nalisée » de l'*expérience réellement vécue* des nouvelles conditions de vie apportées par le développement même de la bourgeoisie, conditions caractérisées sur-tout par la sécurité qui n'obligeait plus, comme faisait l'insécurité des siècles précédents, à enfermer la spiri-tualité dans les cloîtres et permettait en revanche d'adorer *Dieu dans le monde.* Il y a donc lieu de glis-ser au sein des analyses marxistes des analyses phéno-ménologiques portant sur la conscience et permettant précisément d'interpréter le rapport dialectique de cette conscience prise comme source des surperstruc-tures avec l'infrastructure économique où elle se trouve engagée en dernière analyse (mais en dernière analyse seulement). Ainsi se trouve légitimée simulta-nément la possibilité d'un développement dialectique de l'histoire dont le sens est à la fois objectif et sub-jectif, c'est-à-dire nécessaire et contingent : les hom-mes ne sont pas directement branchés sur de l'économique ; ils sont branchés sur de l'existentiel, ou plutôt l'économique est *déjà* de l'existentiel, et leur liberté d'assignation est par eux éprouvée comme réelle. Le problème révolutionnaire, selon Thao, n'est donc pas seulement d'organiser et d'établir une économie nouvelle, il est dans la réalisation par l'homme du sens même de son devenir. C'est en ce sens, selon lui, que la théorie de Marx n'est pas un dogme, mais un guide pour l'action.

Merleau-Ponty aborde le même problème mais par son aspect concrètement politique[1]. Refuser à l'histoire un sens, c'est aussi refuser sa vérité et sa responsabilité à la politique, c'est donner à entendre que le Résistant n'a pas davantage raison de tuer que le Collaborateur, c'est soutenir que « la fin justifie les moyens » selon une formule qui a eu son succès, parce que alors le chemin vers la fin, posée arbitrairement par un projet subjectif et incontrôlable, peut passer par n'importe quelle voie, et le bonheur et la liberté des hommes par le nazisme et Auschwitz. L'histoire montre qu'il n'en est rien. Il ne faut pas dire seulement que la violence est inéluctable parce que l'avenir est ouvert et « à réaliser », il faut encore dire que certaine violence est plus *justifiée* qu'une autre ; il ne faut pas seulement consentir que le politique ne peut pas ne pas être un Machiavel, mais montrer aussi que l'histoire a ses ruses et machiavélise les Machiavel éventuellement. Si l'histoire montre, si l'histoire ruse, c'est qu'elle vise quelque objectif, et signifie. Non pas l'histoire elle-même, qui n'est qu'une abstraction ; mais il y a « une signification moyenne et statistique » des projets des hommes engagés dans une situation, laquelle ne se définit fina-

---

1. Cf. notamment *Humanisme et terreur,* Gallimard, 1946 ; et deux passages de la *Phén. perc.,* « Note sur le matérialisme historique », p. 195-202, « Liberté et histoire », p. 505-513.

lement que par ces projets et leur résultante. Ce sens d'une situation, c'est le sens que les hommes se donnent à eux-mêmes et aux autres, dans une tranche de durée que l'on appelle présent ; le sens d'une situation historique est un problème de coexistence ou *Mitsein* ; il y a une histoire parce que les hommes sont ensemble, non pas comme des subjectivités moléculaires et closes qui s'additionneraient, mais au contraire comme des êtres projetés vers autrui comme vers l'instrument de leur propre vérité. Il y a donc un sens de l'histoire qui est le sens que les hommes *en vivant* donnent à leur histoire. Ainsi s'explique que puissent se greffer sur une base objective identique des prises de conscience variables, ce que Sartre nommait la possibilité d'un *décollement* : « Jamais une position objective dans le circuit de la production ne suffit à provoquer la prise de conscience de classe » (*Phén. perc.,* 505). On ne passe pas automatiquement de l'infrastructure à la superstructure, et il y a toujours équivoque de l'une à l'autre.

Mais alors s'il est vrai que les hommes donnent à leur histoire son sens, d'où tiennent-ils ce sens ? L'assignent-ils par un choix transcendant ? Et quand nous imputons la *Sinngebung* aux hommes eux-mêmes, à leurs libertés, ne faisons-nous pas encore une fois « marcher l'histoire sur la tête », ne revenons-nous pas à l'idéalisme ? Existe-t-il une possibilité idéologique de sortir du dilemme de la « pensée objective » et de l'idéalisme ? L'*économisme* ne peut pas expliquer l'histoire, il ne peut pas expliquer comment une situation économique se « traduit » en racisme, ou en scepticisme, ou en social-démocratie, il ne peut pas non plus expliquer qu'à une même position dans le circuit qu'il décrit puissent être corrélatives des positions politiques différentes, ni qu'il y ait des « traîtres », ni même qu'une agitation politique soit nécessaire ; et en ce sens l'histoire est bien contingente ; mais l'*idéalisme,* qui l'affirme, ne peut pas non plus expliquer l'histoire, il ne peut expliquer que le « siècle des lumières » soit le XVIIIᵉ, ni que les Grecs n'aient pas fondé la science expérimentale, ni que le fascisme soit une menace de notre temps. Il est donc nécessaire, si l'on veut comprendre l'histoire (et il n'y a pas de tâche plus vraie pour le philosophe), de sortir de cette double impasse d'une liberté et d'une nécessité également totales. « La gloire des résistants comme l'indignité des collaborateurs suppose à la fois la contingence de l'histoire sans laquelle il n'y a pas de coupables en politique, et la rationalité de l'histoire sans laquelle il n'y a que des fous » (*Humanisme et terreur,* 44). « Nous donnons son sens à l'histoire, mais non sans qu'elle nous le propose » (*Phén. perc.,* 513). Cela signifie non pas que l'histoire a *un* sens, unique, nécessaire et ainsi fatal, dont les hommes seraient les jouets et aussi les dupes, comme ils sont finalement dans la philosophie hégélienne de l'histoire, mais qu'elle a *du* sens ; cette signification collective est la résultante des significations projetées par des subjectivités historiques au sein de leur coexistence, et qu'il appartient à ces subjectivités de ressaisir dans un acte d'appropriation, qui met fin à l'aliénation ou objectivation de ce sens et de l'histoire, constitue par *lui-même* une modification de ce sens et annonce une transformation de l'histoire. Il n'y a pas un *objectif* d'une part, et d'autre part un *subjectif* qui lui serait hétérogène et chercherait dans les meilleurs cas à s'y ajuster : ainsi il n'y a jamais une compréhension totale de l'histoire, car lors même que la compréhension est aussi « adéquate » que possible, elle engage déjà l'histoire sur une nouvelle voie et lui ouvre un avenir. On ne peut ressaisir l'histoire ni par l'objectivisme, ni par l'idéalisme, ni moins encore par une union problématique des deux, mais par un approfondissement de l'un et de l'autre qui nous amène à l'existence même des sujets historiques dans leur « monde », à partir de laquelle l'objectivisme et l'idéalisme apparaissent comme deux possibilités, respectivement inadéquates, pour les sujets de se comprendre dans l'histoire. Cette compréhension existentielle n'est pas elle-même adéquate, parce qu'il y a toujours un avenir pour les hommes, et que les hommes produisent leur avenir en se produisant eux-mêmes. L'histoire, parce qu'elle n'est jamais achevée, c'est-à-dire humaine, n'est pas un objet assignable ; mais parce que aussi elle est humaine, l'histoire n'est pas insensée. Ainsi se justifie de nouvelle manière la thèse husserlienne d'une philosophie qui n'en a jamais fini avec la question d'un « commencement radical »[1].

1. On le voit encore dans *Les aventures de la dialectique* (Gallimard, 1955) : « Aujourd'hui comme il y a cent ans, et comme il y a trente-huit ans, il reste vrai que nul n'est sujet et n'est libre seul, que les libertés se contrarient et s'exigent l'une l'autre, que l'histoire est l'histoire de leur débat, qu'il s'inscrit et qu'il est visible dans les institutions, les civilisations, dans le sillage des grandes actions historiques, qu'il y a moyen de les comprendre, de les situer, sinon dans un système selon une hiérarchie exacte et définitive et dans la perspective d'une société *vraie*, homogène, dernière, du moins comme différents épisodes d'une seule vie dont chacun est une expérience et peut passer dans les suivants... » (276). Mais cette fois le marxisme est attaqué dans sa thèse fondamentale, qui est la possibilité même du socialisme, la société sans classe, la suppression du prolétariat comme classe par le prolétariat au pouvoir, et la fin de l'État : « Voilà bien la question : la révolution est-elle un cas limite du gouvernement ou la fin du gouvernement ? » A quoi Merleau-Ponty répond : « Elle se conçoit au second sens et se pratique au premier... Les révolutions sont vraies comme mouvements et fausses comme régimes » (290 et 279). Nous n'avons pas à entreprendre ici la description critique du livre : notons seulement qu'il exprime l'incompatibilité absolue des thèses phénoménologiques avec la conception marxiste de l'histoire. En particulier le rejet par Merleau-Ponty de la possibilité effective d'une réalisation du socialisme ne peut surprendre si l'on a pris garde qu'en se refusant toute référence à l'*objectivité* des rapports de production et de leurs modifications, les phénoménologues devaient insensiblement traiter l'histoire et la lutte des classes comme devenir et contradiction des seules *consciences*.

CONCLUSION

I. — Pour la phénoménologie, la discussion sur le sens historique de la phénoménologie peut se poursuivre indéfiniment, puisque ce sens n'est pas assignable une fois pour toutes. La phénoménologie, posant une histoire ambiguë, pose sa propre ambiguïté dans l'histoire. Le marxisme montre au contraire que la prétendue ambiguïté de l'histoire traduit en réalité l'ambiguïté de la phénoménologie. Incapable de se rallier au matérialisme du prolétariat révolutionnaire comme à l'idéalisme de l'impérialisme barbarisant, elle veut ouvrir une *troisième voie* et joue objectivement le jeu de ses bourgeoisies, même si, subjectivement, l'honnêteté de quelques-uns de ses penseurs ne peut être soupçonnée. Ce n'est pas par hasard que son aile droite va au fascisme et que sa « gauche » se contredit dérisoirement[1]. La philosophie de l'histoire hâtivement bâtie par Husserl dans *Krisis* ne saurait être conservée.

II. — Mais elle peut servir à révéler une vérité de la phénoménologie. Car il est certain que cette ambi-

---

1. Voir sur Heidegger, Thévenaz (1951), *De Husserl à Merleau-Ponty,* Neuchâtel, 1966 ; J.-M. Palmier, *Les écrits politiques de Heidegger,* L'Herne, 1968. Et par ailleurs les articles de Sartre, Matérialisme et révolution (écrits en 1946), in *Situations,* III ; Les communistes et la paix, *Temps modernes,* juillet-octobre 1952. Du même, on lira avec fruit la consternante Réponse à Lefort, ainsi que l'article de celui-ci, *TM,* avril 1953 ; La réponse de Chaulieu à Sartre, in *Socialisme ou barbarie,* n° 12, août-septembre 1953 ; et La réponse de Lefort, *TM,* juillet 1954.

guïté des thèses phénoménologiques traduit à son tour l'intention de déborder l'alternative de l'objectivisme et du subjectivisme ; cette intention s'est « réalisée » successivement chez Husserl dans les notions d'*essence,* d'*ego transcendantal* et de *Leben.* Ces concepts ont ceci en commun : ils sont « neutres », ils servent à délimiter le « sol » où se nourrit le sens de la vie. A travers les sciences humaines, nous les avons vus se spécifier successivement en corps, *Mitsein,* historicité. Avec ces concepts il s'agissait non de bâtir un *système,* mais de restituer, à nouveaux frais, les infrastructures de toute pensée, y compris de la pensée systématique. Or la question est de savoir si les infrastructures, les « choses mêmes », sont décelables *originairement,* indépendamment de toute sédimentation historique. Nous n'entendons pas par originalité un hypothétique « en-soi » exclu de la visée intentionnelle : la phénoménologie part du phénomène. Mais « la phénoménalité du phénomène n'est jamais elle-même une donnée phénoménale », écrit très bien E. Fink[1].

N'y a-t-il pas en somme une décision phénoménologique de se poster à un observatoire où « l'apparaître de l'étant n'est pas une chose qui apparaît elle-même » (*ibid.)* ? Et de cette décision d'identifier être et phénomène, la phénoménologie s'avère incapable de rendre compte phénoménologiquement. Il faudrait donc « fonder le droit de faire de la phénoménologie »[2]. Mais fonder ce droit, c'est retourner à la *pensée spéculative* traditionnelle, à la systématisation philosophique. Justifier l'analyse intentionnelle, c'est en sortir et recourir au système. Fink va plus loin que Wahl : il montre que bon gré mal gré ce recours

1. L'analyse intentionnelle et le problème de la pensée spéculative, in *Problèmes actuels de la phénoménologie,* Desclée, 1952, p. 71.
2. Wahl, Conclusions, *ibid.*

existe implicitement dans la pensée de Husserl : interprétation de la « chose elle-même » comme phénomène, postulat d'un recommencement radical, thèse de la postériorité du concept, foi en la « méthode », indétermination de ce qu'est une « constitution », caractère vague du concept de *Leben,* avant tout procédé analytique lui-même et plus précisément affirmation de la priorité des « modes originaires », tout cela cache les éléments spéculatifs hérités de la philosophie moderne, et plus particulièrement de la révolution cartésienne du *cogito.* La *Krisis,* qui situait la phénoménologie explicitement dans cet héritage, constituait donc un aveu, et l'on ne s'étonnera pas qu'elle rompe avec l'analyse intentionnelle et inaugure un *système spéculatif* de l'histoire (du reste fort médiocre).

III. — Nous avons déjà fait répondre Hegel, on s'en souvient, à la prétention d'originalité de Husserl : la critique de Fink suggère déjà cette réponse. Et la critique marxiste la complète. Ce qui est ici en cause comme l'a très bien vu Thao, c'est le problème de la *matière.* Le *Leben* comme sol du sens de la vie n'est dépouillé de son ambiguïté et du risque subjectiviste que s'il est identifié avec la matière. Mais ce pas n'a pu être franchi par la phénoménologie parce qu'il signifie l'abandon de l'analyse intentionnelle (de l'*ego cogito*) et le passage à la philosophie spéculative. En réalité l'analyse intentionnelle et l' « évidence » du *cogito* ne sont pas moins des éléments de philosophie spéculative. Contre cette méthode intuitive et son postulat, la logique dialectique affirme son adéquation au réel, en s'affirmant comme émanation du réel. Cette vérité, la phénoménologie l'a pressentie quand elle a défini la vérité comme mouvement, genèse, reprise ; mais ici encore elle est restée dans l'équivoque non parce que ce mouvement est lui-même équivoque comme elle le prétend, mais parce qu'elle a refusé de lui restituer sa réalité matérielle. En maintenant la source du sens dans l'entre-deux de l'objectif et du subjectif, elle n'a pas vu que l'objectif (et non l'existentiel) contient déjà le subjectif comme négation et comme dépassement, et que la matière est elle-même sens. Loin de les dépasser la phénoménologie est donc fort en retrait par rapport aux philosophies hégélienne et marxiste. Cette régression s'explique historiquement.

IV. — Nous avons souligné en débutant que la notion d'antéprédicatif, de pré-réflexif pouvait être approfondie aussi bien contre la science que pour mieux l'asseoir : c'est où les deux courants de la phénoménologie se départagent. Cette dualité est particulièrement manifeste dans l'approche des sciences humaines. Or il est clair que la fécondité de la phénoménologie n'est pas du côté de ceux qui contre l'investigation scientifique de l'homme reprennent à leur compte les arguments fades et dérisoires de la théologie et de la philosophie spiritualiste. La richesse de la phénoménologie, son « côté positif », c'est son effort pour ressaisir l'homme lui-même en dessous des schémas objectivistes dont la science anthropologique ne peut pas ne pas le recouvrir, et c'est évidemment sur cette base qu'il faut discuter avec la phénoménologie. La reprise compréhensive des données neuro- et psycho-pathologiques, ethnologiques et sociologiques, linguistiques (dont nous n'avons pu parler ici), historiques, etc., dans la mesure où il ne s'agit ni d'un grossier obscurantisme ni d'un éclectisme sans solidité théorique, répond assez bien aux exigences d'une philosophie concrète : et si Merleau-Ponty reprend à son compte[1] la célèbre formule de Marx : « Vous ne pouvez supprimer la philosophie qu'en la réalisant », c'est parce que la phénoménologie lui paraît signifier justement une philosophie *faite réel,* une philosophie supprimée comme existence séparée[2].

---

1. Marxisme et philosophie, in *Sens et non-sens,* p. 267 sq.
2. On sait que Marx subordonnait cette suppression de la philosophie à la suppression du penseur parcellaire, et celle-ci enfin à la constitution de la société sans classe.

BIBLIOGRAPHIE

I

Husserl. — Bibliographies générales, in *Rev. intern. de phil.*, janvier 1939 ; *in* Thévenaz, ci-dessous ; *in La philosophie comme science rigoureuse*, PUF, 1955 ; *in* Lauer, ci-dessous ; et surtout *in* Forni, *Fenomenologia*, Milan, 1973.
— Husserliana : t. 1, *Cartesianische Meditationen...* ; 2. *Die Idee der Phaenomenologie...* ; 3. *Ideen zu einer reinen Phaenomenologie...*, I ; 4. *Ideen...*, II (zur Konstitution) ; 5. *Ideen...*, III (Wissenschaften) ; 6. *Die Krisis...* ; 7. *Erste Philosophie* (1923-1924), I (Kritische Ideengeschichte) ; 8. *Erste Philosophie* (1923-1924), II (Reduktion) ; 9. *Phaenomenologische Psychologie* (1925) ; 10. *Zur Phaenomenologie des inneren Zeitbewusstseins* (1893-1917) ; 11. *Analysen zur passiven Synthesis* (1918-1926) ; 12. *Philosophie der Arithmetik* (1890-1901) ; 13, 14, 15. *Zur Phänomenologie der Intersubjektivität*, 1 (1905-1920), 2 (1921-1928), 3 (1929-1935) ; 16. *Ding und Raum* (1907) ; 17. *Formale und transzendentale Logik* ; 18. *Logische Untersuchungen*, 1 ; 21. *Studien zur Arithmetik und Geometrie* (1886-1901) ; 22. *Aufsätze und Rezensionen* (1890-1910) ; 23. *Phantasie, Bildbewusstsein, Erinnerung* (1898-1925) ; 25. *Philosophie als strenge Wissenschaft* (1911).
— Traductions françaises : *Méditations cartésiennes*, Vrin, 1947 ; La crise des sciences européennes, *Les Études phil.*, 1949 ; La philosophie comme prise de conscience de l'humanité, *Deucalion*, 1950 ; *Idées directrices*, I, Gallimard, 1963 ; II, PUF, 1982 ; La crise de l'humanité européenne, *Rev. métaph. mor.*, 1950 ; *La philosophie comme science rigoureuse*, PUF, 1955 ; *Logique formelle et logique transcendantale*, PUF, 1957 ; Postface aux *Idées*, RMM, 1957 ; Qu'est-ce que la phénoménologie ?, *Tableau de la philosophie contemporaine*, Fischbacher, 1957 ; Deux textes..., *Rev. phil.*, 1959 ; *Recherches logiques*, 3 vol., PUF, 1969-1974 ; *L'origine de la géométrie*, PUF, 1962 ; *Leçons pour une phénoménologie de la conscience intime du temps*, PUF, 1964 ; *Expérience et jugement*, PUF, 1970 ; *L'idée de la phénoménologie*, PUF, 1970 ; *Philosophie première* (1923-1924), 2 vol., PUF, 1970-1972 ; *Philosophie de l'arithmétique*, PUF, 1972 ; *Articles sur la logique* (1891-1904), PUF, 1975 ; *La crise des sciences européennes et la phénoménologie transcendantale*, Gallimard, 1976 ; *La crise de l'humanité européenne et la philosophie*, Aubier-Montaigne, 1977.

II

Bachelard, *La logique de Husserl*, PUF, 1957.
Berger, *Le cogito dans la philosophie de Husserl*, Aubier, 1941.
Derrida, *La voix et le phénomène*, PUF, 1967.
— Introduction à *L'origine de la géométrie*, PUF, 1962.
— *Le problème de la genèse dans la philosophie de Husserl (1953-1954)*, PUF, 1990.
Desanti, *Phénoménologie et praxis*, Éditions Sociales, 1963.
Divers, *Problèmes actuels de la phénoménologie* (Colloque 1951), Desclée de Brouwer, 1952.
— *Phénoménologie. Existence*, Colin, 1953.
— Husserl, *Études philosophiques*, 1, 1954.
— *Husserl et la pensée moderne* (Colloque 1956), Nijhoff, 1959.
— *Husserl* (Colloque 1957), Minuit, 1959.
— *Edmund Husserl*, Nijhoff, 1959.
— Edmund Husserl, *Rev. phil.*, 4, 1959.
— Merleau-Ponty, *Temps modernes, 184-185*, 1961.
— *Symposium sobre la noción husserliana de la Lebenswelt*, Mexico City, 1963.
— *La phénoménologie et les sciences de la nature*, Beauchesne, 1964.
— Husserl, *Revue intern. de philosophie*, 1965.
— Husserl, *Aut, aut*, 1968.
— *Phenomenology and the Social Sciences*, Northwestern UP, 1973.
— *Husserl*, Wissenschaftliche Buchgesellschaft, Darmstadt, 1973.
— *Phénoménologie et herméneutique*, CNRS, 1977.
— *Husserl, Scheler, Heidegger*, K. Alber, Fribourg et Munich, 1978.
— *Phénoménologie et métaphysique*, PUF, 1984.
Dufrenne, *Phénoménologie de l'expérience esthétique*, PUF, 1953.
Fink, *De la phénoménologie*, Minuit, 1974.
Forni, *Il soggetto e la storia*, Bologne, 1972.
Franck, *Chair et corps. Sur la phénoménologie de Husserl*, Minuit, 1981.
Goldstein, *La structure de l'organisme*, Gallimard, 1951.
Heidegger, *Qu'est-ce que la métaphysique ?*, Gallimard, 1951.
— *Kant et le problème de la métaphysique*, Gallimard, 1953.
— *L'être et le temps*, I, Gallimard, 1964.
Kelkel et Schérer, *Husserl*, PUF, 1964.
Lauer, *Phénoménologie de Husserl*, PUF, 1955.
Lefort, *Les formes de l'histoire. Essais d'anthropologie politique*, Gallimard, 1978.
Levinas, *Théorie de l'intuition dans la phénoménologie de Husserl*, Alcan, 1930.
— *En découvrant l'existence avec Husserl et Heidegger*, Vrin, 1949.
Lukács, *Existentialisme ou marxisme*, Nagel, 1948.
Marion, *Réduction et donation. Recherches sur Husserl, Heidegger et la phénoménologie*, PUF, 1989.
Merleau-Ponty, *La structure du comportement*, PUF, 1942.
— *Phénoménologie de la perception*, Gallimard, 1945.
— *Humanisme et terreur*, Gallimard, 1947.
— *Sens et non-sens*, Nagel, 1948.
— *Les aventures de la dialectique*, Gallimard, 1955.
— *Signes*, Gallimard, 1960.

Merleau-Ponty, *Le visible et l'invisible,* Gallimard, 1964.
— *Merleau-Ponty à la Sorbonne,* PUF, 1964.
Pos, Phénoménologie et linguistique, *Rev. intern. de phil.,* 1939.
Ricœur, Husserl et le sens de l'histoire, *RMM,* 1949.
— Analyses et problèmes dans *Ideen II* de Husserl, *RMM,* 1951-1952.
— Sur la phénoménologie, *Esprit,* décembre 1953.
— Explication et commentaire des *Ideen I, Cahiers de philosophie,* Groupe d'études de philosophie de la Sorbonne.
Sartre, *La transcendance de l'Ego,* Vrin, 1965.
— *Esquisse d'une théorie des émotions,* Hermann, 1939.
— *L'imaginaire,* Gallimard, 1940.
— *L'être et le néant,* Gallimard, 1943.
Schérer, *La phénoménologie des « Recherches logiques » de Husserl,* PUF, 1968.
Strasser, *Phénoménologie et sciences de l'homme,* Louvain, 1967.
Thévenaz, *De Husserl à Merleau-Ponty,* Neuchâtel, 1966.
Tran-Duc-Thao, Marxisme et phénoménologie, *Rev. intern.,* 2, 1946.
— *Phénoménologie et matérialisme dialectique,* Minh-Tan, 1951.
Waelhens, *Phénoménologie et vérité,* PUF, 1953.
Wahl, Notes sur la première partie de *Erfahrung und Urteil, Rev. métaph. morale,* 1952.
— Notes sur quelques aspects empiristes de la pensée de Husserl, *Rev. métaph. morale,* 1952.
— *Husserl,* cours, CDU, 1956-1962.

TABLE DES MATIÈRES

Imprimé en France
par Vendôme Impressions
Groupe Landais
73, avenue Ronsard, 41100 Vendôme
Janvier 2007 — N° 53 448